UM PROGRAMA REALIZAÇÃO PRODUÇÃO

APOIO CULTURAL PATROCÍNIO

SOMANDO FORÇAS

ENTREVISTAS A CHARLES GAVIN

DOIS 1986

LEGIÃO URBANA

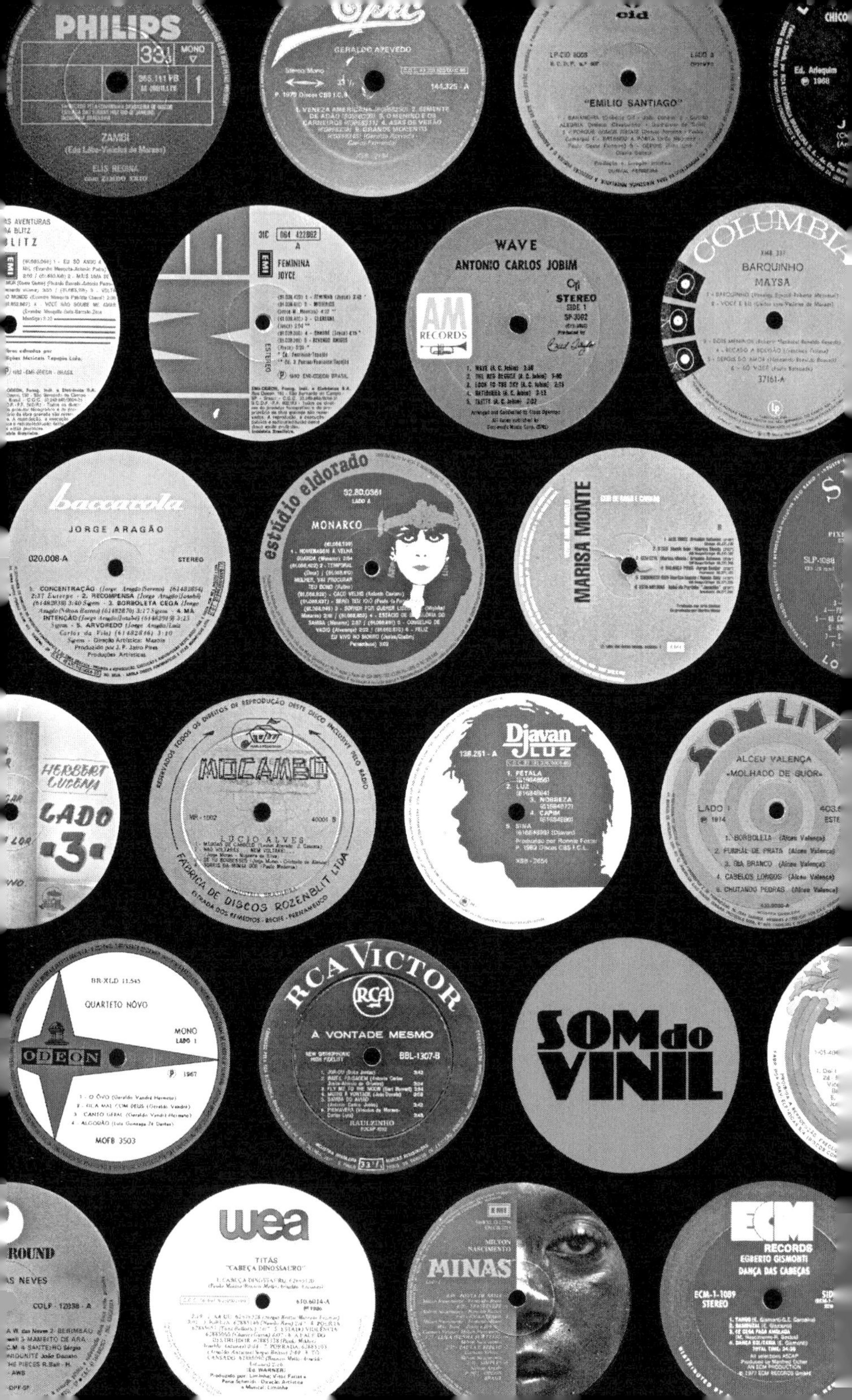

PHILIPS
ZAMBI
ELIS REGINA
GERALDO AZEVEDO
cid
"EMILIO SANTIAGO"
FEMININA
JOYCE
WAVE
ANTONIO CARLOS JOBIM
A&M RECORDS
STEREO
COLUMBIA
BARQUINHO
MAYSA
baccarola
JORGE ARAGÃO
estúdio eldorado
MONARCO
MARISA MONTE
MOCAMBO
LUCIO ALVES
FABRICA DE DISCOS ROZENBLIT LTDA
Djavan
LUZ
ALCEU VALENÇA
"MOLHADO DE SUOR"
LADO 3
QUARTETO NÔVO
ODEON
RCA VICTOR
A VONTADE MESMO
RAULZINHO
SOM do VINIL
wea
TITÃS
"CABEÇA DINOSSAURO"
MILTON NASCIMENTO
MINAS
ECM RECORDS
EGBERTO GISMONTI
DANÇA DAS CABEÇAS

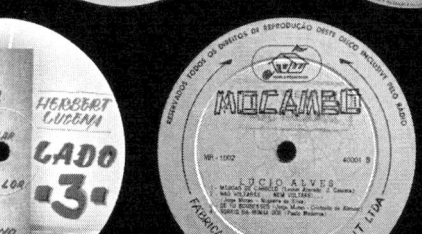

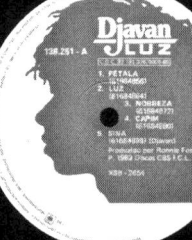

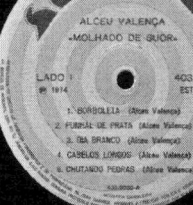

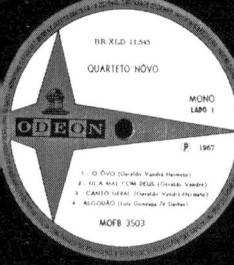

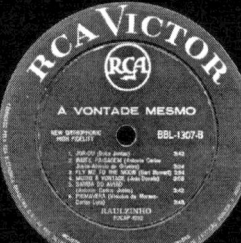

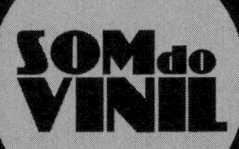

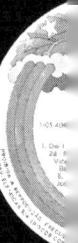

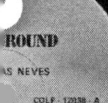

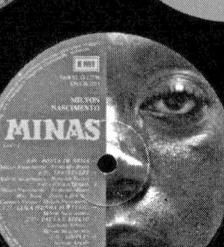

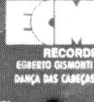

A IDEIA JÁ EXISTIA, MAS SÓ COMEÇOU A GANHAR FORMA a partir de um encontro com Geneton Moraes Neto numa esquina do Baixo Leblon, sábado de manhã. A certa altura do bate-papo eu disse ao jornalista (e amigo) que há muito tempo vinha pensando em montar um banco de dados na internet, onde seria possível compartilhar o conteúdo das entrevistas de O Som do Vinil, algo que muita gente sempre me cobrou.

Desde que começou a ser produzido, em 2007, o acervo foi ganhando valor inestimável, fruto da generosa colaboração dos convidados, que revelam histórias sobre suas canções, seus discos e suas carreiras, recompondo nossa história capítulo a capítulo.

Indo mais longe, afirmei: "nesses tempos em que o espaço na mídia televisiva está se tornando cada vez mais escasso para as vertentes da música brasileira, iniciativas como essa acabam se transformando em estratégicos abrigos de proteção à nossa diversidade cultural, expressa através das artes. N'O Som do Vinil, quem conta a história da música brasileira é quem a fez — e a faz".

Geneton ouviu tudo com atenção, concordou e aconselhou: "você tem que colocar isso em livro também. Pense que, daqui a décadas ou séculos, os livros ainda estarão presentes. Eles sobreviverão, seja qual for a mídia utilizada. Tenha certeza: colocou em livro, está eternizado, é pra sempre".

Cá estamos. A ideia se materializou e o projeto que disponibiliza sem cortes, na íntegra, algumas das centenas de entrevistas que fiz neste anos de O Som do Vinil está em suas mãos. Agradeço ao mestre e também a todos que, de alguma forma, ajudaram.

Aproveite. Compartilhe.

Charles Gavin

Um programa do Canal Brasil

Concepção
André Saddy, Charles Gavin, Darcy Burger e Paulo Mendonça

[Temporadas 2007, 2008, 2009 e 2010]
Apresentação, direção e pesquisa Charles Gavin
Direção Darcy Burger
Assistentes de direção Juliana Schmitz, Helena Machado, Barbara Lito, Rebecca Ramos
Editores Mariana Katona, Raphael Fontenelle, Tauana Carlier e Pablo Nery
Pesquisa e pauta Tarik de Souza
Coordenação de produção Crica Bressan e Guilherme Lajes
Produção executiva André Braga
Produção Bravo Produções

[Temporadas 2011, 2012 e 2013]
Apresentação, direção e pesquisa Charles Gavin
Direção Gabriela Gastal
Assistentes de direção Maitê Gurzoni, Liza Scavone, Henrique Landulfo
Editores Tauana Carlier, Thiago Arruda, Raphael Fontenelli, Rita Carvana
Pesquisa e pauta Tarik de Souza
Coordenação de produção Henrique Landulfo
Produção executiva Gabriela Figueiredo
Produção Samba Filmes

Equipe CANAL BRASIL
Direção-geral Paulo Mendonça
Gerente de marketing e projetos André Saddy
Gerente de produção Carlos Wanderley
Gerente de programação e aquisição Alexandre Cunha
Gerente financeiro Luiz Bertolo

No sulco do vinil

QUE O BRASIL NÃO TEM MEMÓRIA É UMA TRISTE CONSTATAÇÃO. Maltratamos nosso passado como malhamos Judas num sábado de Aleluia, relegando-o ao esquecimento empoeirado do tempo. Vivemos do aqui e agora como se o mundo tivesse nascido há 10 minutos, na louca barbárie do imediatismo. Esse ritmo frenético de excessos atropela não só reflexões um pouco menos rasteiras, como não nos permite sequer imaginar revisitar aquilo que de alguma forma nos fez ser o que somos hoje. Como se o conhecimento, qualquer que ele seja, fosse tão dispensável quanto aquilo que desconhecemos.

Esse esboço de pensamento não deve ser confundido com conservadorismo ou nostalgia, mas como fruto da convicção de que preservar e, talvez, entender o que foi vivido nos permite transgredir modismos e a urgência de necessidades que nos fazem acreditar serem nossas. Essas divagações estiveram na gênese do Canal Brasil, inicialmente concebido como uma janela do cinema brasileiro no meio da televisão e, posteriormente, transformado numa verdadeira trincheira da cultura nacional em todas as suas vertentes.

A música, por sua vez, chegou sorrateira, se impondo soberana como artigo de primeira necessidade, muito naturalmente para um canal chamado Brasil.

Começamos a produzir programas musicais e shows e a buscar, como havíamos feito com o cinema, uma forma que nos permitisse fazer o resgate do nosso extraordinário passado musical.

Recorrentemente falávamos do *Classic Albums* da BBC, pensamento logo descartado pela ausência de registros filmados de nossas clássicas gravações. Mas, como um fruto maduro, esse tema estava não só em nossas cabeças como também em outros corações.

E foi assim que Darcy Burger nos propôs, a mim e a André Saddy, em uma reunião realizada em meados de 2006, a produção de um programa que viesse a ser o *Álbuns Clássicos Brasileiros*.

Diante da constatação da impossibilidade de se reproduzir o modelo inglês do programa, evoluímos para a hipótese de se criar um formato brasileiro, contextualizado por circunstâncias históricas e políticas e depoimentos de artistas, músicos e técnicos envolvidos na feitura dos discos, de modo a viabilizar a elaboração de mais que um programa, um documentário sobre a produção de cada álbum selecionado. Restava saber quem teria credibilidade suficiente para a condução do programa. E essa foi a mais fácil e unânime das escolhas: Charles Gavin.

Charles, além de sua história bem-sucedida de baterista dos Titãs, realizava também um trabalho abnegado de resgate de uma infinidade de álbuns clássicos da música brasileira. Ou seja, assim como o Canal Brasil vem procurando fazer pelo cinema, Charles vinha, solitariamente, fazendo o mesmo em defesa da memória da música brasileira — o que era, desde sempre, um motivo de respeito e admiração de todos. A sua adesão ao projeto, bem como o respaldo propiciado pela luxuosa participação de Tárik de Souza na elaboração de pautas, deram a ele não só um formato definitivo, mas principalmente o embasamento técnico e conceitual exigido pelo programa.

Nascia, assim, em julho de 2007, no Canal Brasil, *O Som do Vinil*.

O acervo de entrevistas desde então registradas para elaboração dos programas em diversas temporadas é mais que um patrimônio, se constitui hoje num verdadeiro tesouro para todos aqueles que de alguma forma queiram revisitar uma parte já significativa da história da música brasileira. O

Paulo Mendonça

LEGIÃO U[RBANA]

DOIS

℗1986   **Lado 1**
EMI - ODEON - Brasil

1 - Daniel na Cova dos Leões BR-EMI-86-00037
(Renato Russo • Renato Rocha) Tapajós (EMI)
2 - Quase Sem Querer BR-EMI-86-00038 - 4:42
(Renato Russo • Dado Villa-Lobos • Renato Rocha)
3 - Acrilic On Cavas BR-EMI-07-00661 - 4:40
(Dado Villa-Lobos • Renato Russo • Renato Roch[a])
4 - Eduardo e Mônica BR-EMI-86-00023 -
(Renato Russo) Tapajós (EMI)
5 - Central do Brasil BR-EMI-86-00040
(Renato Russo) Tapajós (EMI)
6 - Tempo Perdido BR-EMI-86-000
(Renato Russo) Tapajós (EMI)

EMI

ANA

Poly Som Com. e Ind. de Plásticos Ltda. CNPJ: 03.107.867/0001-39 sob encomenda do produtor fonográfico EMI Music Brasil Ltda. CNPJ: 33.249.640

457986 1

MI)

Bonfá) Tapajós (EMI)

LEGIÃO URBANA

DOIS

LEGIÃO URBANA

1
Daniel Na Cova dos Leões
Quase Sem Querer
Acrílic On Canvas
Eduardo e Monica
Central do Brasil
Tempo Perdido

2
Metrópole
Plantas Embaixo do Aquário
Música Urbana 2
Andrea Doria
Fábrica
"Índios"

DADO VILLA-LOBOS

RENATO RUSSO

RENATO ROCHA

MARCELO BONFÁ

Produzido por MAYRTON BAHIA
Jan./Março 1986, EMI-Odeon.

Direção Artística: JORGE DAVIDSON
Direção de Produção e Prod. Executiva: MAYRTON BAHIA
Assistente de Produção: CARLOS SAVALLA
Técnico de Gravação: AMARO MOÇO
Mixagem: AMARO MOÇO, MAYRTON BAHIA + Legião (outline)
Auxiliares de Estúdio: ROB & GERALDO

Dois
Odeon, 1986

Jorge Davidson Direção artística
Mayrton Bahia Direção de produção e produção executiva

Carlos Savalla Assistente de Produção
Amaro Moço Técnico de Gravação
Amaro Moço, Mayrton Bahia + Legião Mixagem
Rob & Geraldo Auxiliares de Estúdio

Renato Russo Vocal
Dado Villa-Lobos Guitarra
Marcelo Bonfá Bateria
Renato Machado Baixo

Dado Villa-Lobos

Fala um pouco sobre a cena de Brasília no princípio dos anos 1980, e de seus três grupos principais: Legião Urbana, Capital Inicial e Plebe Rude.

São bandas que saíram, basicamente, do Aborto Elétrico e da Blitz 64, que eram os dois grupos que começaram essa onda do movimento pós-punk – mas nós achávamos que éramos punks mesmo. O Aborto Elétrico tocava "Que país é este?", "Geração Coca-Cola", além de "Fátima" e "Ficção científica", gravadas mais tarde pelo Capital. Estamos falando do final de 1970, começo de 1980. Desse núcleo surgiram essas três bandas, mas nesse meio tempo circularam outras bandas, eu tive Dado & o Reino Animal, que era instrumental, tinha um teclado e só quatro músicas; só fizemos um show.

Quem eram os integrantes do Dado & o Reino Animal?

O Bonfá, na bateria, o Dinho, no baixo, eu na guitarra e o Loro Jones em outra guitarra, e esse amigo Pedro Thompson Flores, no Fender Rhodes; não entendíamos absolutamente nada, e teclado era um negócio muito sofisticado e caro também, ninguém tinha acesso.

Em 1983, quando a Legião, o Capital e a Plebe vieram a São Paulo e ao Rio se apresentar, tudo estava começando a se estabelecer nesse formato. Tínhamos um público em Brasília, que eram nossos amigos, e estavam ali sempre dando uma força, nos prestigiando, indo aos lugares, ajudando na produção (os carros que serviam para transportar os instrumentos, o pessoal colando cartaz na rua...). O festival da Associação Brasileira de Odontologia (ABO), em Brasília, foi muito importante, quatro finais de semana incríveis em que essas três bandas e outras tocaram. O Legião tinha acabado de adquirir esse novo formato, não tinha repertório, o Renato havia me chamado para entrar na banda um mês antes do festival, e tínhamos que compor, fazer as músicas, ensaiar e se apresentar. Já estava tudo marcado.

Já existia esse nome da banda?

Já, o Renato propôs esse nome, Legião Urbana, porque a ideia era ter um núcleo, ele e o Bonfá, e vários músicos seriam chamados para participar das canções, sabe? Um formato mais rotativo. Os tecladistas, guitarristas, cantores, percussionistas, gravitariam em volta, mas a ideia não deu certo, porque era complicado fazer um coletivo assim, com todo mundo muito jovem, como era na época.

Entrei na banda e em um mês preparamos o repertório para tocar no teatro da ABO, que é praticamente o repertório do primeiro disco.

Em Brasília, sem ter muito o que se fazer, as pessoas iam ao show da Plebe do coreto do Gilberto Salomão, iam para o Lago Norte ver o show que estava indicado no cartaz da parede, muita gente tirava foto, o pessoal fazia camiseta e tinha também o pessoal que tocava. Toda sexta-feira à noite nos reuníamos para ouvir um som, às vezes abríamos a porta do carro, fazíamos uma fogueira, tomávamos um vinho e ficávamos basicamente ouvindo música, era o que tinha para se fazer... Um disco que a gente ouvia toda sexta-feira numa quebrada era o *Talking Heads 77*: sei lá por que diabos a gente ouvia de cabo a rabo.

Era uma molecada adolescente procurando o que fazer da vida, e boa parte encontrou um rumo a partir dali: viramos músicos, os fotógrafos dos shows tornaram-se fotógrafos... Acho interessante, foi em um dado momento, um ano específico, que realmente deu um estalo e a música, a linguagem, a nossa atitude virou um modo de vida definitivo, e todas aquelas pessoas estão até hoje vivendo a partir daquele momento.

O Renato e o Bonfá já tinham o núcleo da Legião Urbana e te chamaram. Como o seu estilo de tocar se adaptou ao do Bonfá, que é um baterista e pertence à mesma escola que eu, influenciado pelo pop, rock, por todas essas bandas inglesas tão importantes na nossa formação.

Eu e o Bonfá havíamos tocado no Dado & o Reino Animal, que durou pouco, mas a forma de tocar dele eu já conhecia desde Os Metralhas e daquelas bandas todas em que ele tocava antes. No Food's, a lanchonete que a gente frequentava, ele vivia tocando, abria shows, adorava o Fê Lemos, adorava estar ao lado dos bateristas.

O Fê gozava de certa fama em Brasília, não?
Sim, também porque ele tinha uma Premier, ele era o batera do Aborto, que foi a semente de tudo; o Fê e o Gutje [Wortmann] que eram do Aborto e da Blitz 64, tinham essa fama. Então o Bonfá, assim como eu, estava em volta disso, ele se amarrava em bateria, acho que o pai dele já tinha tocado e deu uma Pinguim para ele. Quando o Bonfá chamou para fazer parte da Legião, eu achei legal, quis ver como funcionaria e não tinha como dar errado, acho.

Vocês se davam muito bem, não? Um complementava o outro.
Ah, sim, ele tem uma mão direita no contratempo que é só dele. Outro dia, estávamos gravando um disco novo e o Kassin estava dando uma força, produzindo. Chamamos uma série de pessoas para tocar, o Barba, o Lourenço, que toca comigo, o João Barone e o Bi, e o Bonfá. O Kassin ficou completamente siderado pelo som do Bonfá, pela pegada dele, e é algo diferente mesmo. Volta e meia tocávamos com o João Barone, que é o melhor de todos, mas tocando "Será" não tem um santo baterista que me faça lembrar do jeito do Bonfá, ele tem uma marca.

Era mais importante da nossa geração pós-punk ter estilo, ter assinatura, do que tocar muito bem.
Certíssimo, o que existia ali era uma busca de quem você era, de sua personalidade, que justamente vai ser canalizada pelo instrumento que você está tocando. Sempre achei muito mais

interessante o que a pessoa tinha de especial do que a virtuosidade. Na verdade, o cara até pode tocar muito, como tem vários aí – eu era moleque e ia assistir ao ensaio do Paralamas e meu Deus! Que coisa era o Herbert Vianna tocando Hendrix, Page, Led Zeppelin, tudo o que a gente ouvia direto, mas você não precisa nem ver o Herbert abrindo a boca e empunhando o instrumento para saber que é ele quem está ali. Acho que é isso que sempre contou, é o que bate, que faz com que você se identifique com alguém, com a pessoa que está ali tocando o instrumento, independentemente de estar tocando três mil notas por segundo ou apenas uma. Em geral, falavam que na Legião tocava-se mal, pelo fato da música ser simples, mas tem uma piada sobre o cara que está tocando três mil notas, porque está procurando qual usar, e dos outros que tocam três, porque já encontraram as notas para fazer o som.

Os harmônicos na guitarra tornaram-se uma marca registrada do seu estilo sonoro. Por acaso, você ouvia muito Gang of Four, Andy Gill.
Ah, mas é lógico, ele é o cara dos harmônicos, dos efeitos. Gang of Four era a banda da nossa vida em Brasília, em São Paulo, nessa época.
Mas a influência também aconteceu porque quando o Renato e o Bonfá me chamaram para banda, o Hermano Vianna, irmão do Herbert, trabalhava na revista *Pipoca Moderna* – ele foi o grande descobridor da cena de rock que estava acontecendo no Brasil e veio para Brasília dar uma espiada, então montou-se uma festa em que as bandas tocariam. A Legião Urbana tinha acabado de surgir, não tinha nem repertório, e o Ico Ouro Preto, irmão do

Dinho, que tinha ficado um mês como guitarrista, foi embora e me chamaram. Aí falaram para eu fazer uns barulhinhos na guitarra, que vinham do Gang of Four, e eles foram absorvidos de forma total. Assim como tinha o Johnny Tunders, Joey Ramone, antes. Desde o primeiro disco, a Legião Urbana apresentava sinais de que o trabalho da banda teria uma força dentro da cultura rock. É possível ver na Legião Urbana ecos de várias figuras importantes do rock que admiramos e ouvimos até hoje.

Vocês tomavam alguém como referência na hora de compor, de arranjar e até de gravar?
Tem uma faixa que não entrou no disco porque não tinha tempo físico, espaço, que era "Juízo final", do Nelson Cavaquinho, mas numa versão meio *dark*, inspirada em guitarristas que eu admirava na época, como Robert Smith, do The Cure, ele sincava a melodia na guitarra, a banda era um trio e era de uma simplicidade, uma eficiência, uma eficácia admirável – juntava aquela química e o negócio batia lá dentro, adquiria respeito e virava uma referência.
Então no disco existem algumas tentativas nesse sentido, "Acrilic on canvas" é mais ou menos isso, uma coisa econômica, direta, o baixo fazendo efeitos. Na época também, eu estava a fim de abrir um pouquinho o meu universo musical e fui fazer aulas de guitarra com um amigo, então comecei a tocar João Gilberto, bossa nova, aprender aquelas inversões, "Samba de uma nota só".

Você estava nadando contra a corrente, num contexto em que a bossa nova não estava no panorama.
Foi ótimo! Daí saiu uma música como "Andrea Doria", líri-

ca, romântica, de rasgar o pulso e o coração, que veio de uma nota Ré. O Renato falou que tínhamos uma música e entrou essa onda "João Gilbertiana" que estava rolando para mim na época, foi muito bom, muito bacana. Estar dentro do estúdio com aqueles caras e com essas ideias que circulavam e acabavam sendo absorvidas num ciclone, num rodamoinho, resultando em uma canção bacana, da qual você pode se orgulhar, era o que valia a pena mesmo.

Por incrível que pareça, você estava sendo totalmente coerente, porque João Gilberto e Robert Smith, na minha avaliação, são dois mestres do minimalismo, cada um na sua praia, com ênfase na melodia e na harmonia – poucos guitarristas da geração do Robert Smith usavam os acordes que ele usava.
Sim, as melodias dentro das harmonias e os acordes que ele usava. E a simplicidade.

Quando a cena paulistana fervia, com bandas geniais como Voluntários da Pátria, Agentes, Azul 29, Ultraje a rigor, Titãs, Inocentes, 365, Olho Seco, foi anunciada a chegada das bandas de Brasília: Capital inicial, Plebe Rude e Legião Urbana. Como foi vir a São Paulo?
Foi sensacional chegar em São Paulo, porque ainda estávamos meio divididos nesse lance das bandas de cada região. Íamos fazer um show no Circo Voador, no Rio de Janeiro, e calhou de acontecer o show no Napalm, em São Paulo, também. Isso tudo quem armava era o Renato, que também era um pouco o nosso empresário – ele mandava nosso material de divulgação, que fazíamos em *silkscreen* e *offset*, só alguns desenhos e textos, sem foto, e uma fita cassete; ficava horas no telefone

com a Jussara e a Fernanda, que hoje é minha mulher, e conseguiu agendar esse show em São Paulo. Foi um show histórico, antes de gravar o primeiro disco, éramos um trio ainda, o Renato tocava baixo e cantava. Foi divertido, nossa primeira vez em São Paulo, uma megalópole, como ouvíamos falar. Lembro que fui no ensaio do Ira! e fiquei totalmente alucinado quando vi o Edgard Scandurra tocando ao vivo, tudo invertido, algo impressionante até hoje.

Quando chegamos para passar o som no Napalm, estava rolando aquele embate entre o dono do local, que queria filmar, e as bandas, que não queriam deixar que gravasse. Nós ficamos do lado das bandas, claro.

Não tinha tanto público, cerca de 50 pessoas, muitos punks, que tinham uma espécie de livre acesso ao lugar – alguns ficavam de costas para o palco, olhando para a plateia, podia acontecer de um ir lá e roubar um *pedal boy* de alguém, ou da gente levar um cuspida também. Todas essas coisas faziam parte do que esperávamos ao subir no palco, mas, como sempre, chegávamos e fazíamos o que sabíamos fazer, da melhor forma possível, dando o nosso máximo.

Mas rapidamente, até por conta desse show, vocês receberam o convite para gravar o primeiro disco na Odeon/EMI.

É, foi logo na sequência, recebemos o convite, Os Paralamas estavam lá e tinham acabado de gravar o primeiro LP, com "Química", uma música do Renato. Aí o Herbert, o Bi e o João fizeram a ponte com o Jorge Davidson, que a princípio achou ruim ser outro trio de Brasília, que o cantor também usava óculos. Na verdade, eles queriam só o Renato, que era o compositor, mas o sonho do Renato era ter uma banda de rock.

Foi tudo muito rápido, o show de São Paulo e o Circo Voador foram no final de setembro e em dezembro estávamos no Rio fazendo a demo do primeiro disco.

Você guardou essa demo?
Existe sim, acho que tem "Ainda é cedo"...

Poxa, tem que lançar isso...
Se fosse assim tão fácil...

Já o primeiro disco da Legião foi muito bem feito e produzido. Como o disco do Paralamas, ele elevou o patamar da gravação de discos no Brasil. Quando eu ouvi, em 1985, eu fiquei impressionado com a maneira de gravar e o que poderia ser feito a partir daquilo.
É mesmo? Eu achava diferente. Esse era o grande barato da época, Paralamas saiu com *Selvagem* e eu falei, vamos correr atrás, aí veio *Cabeça dinossauro* e eu, ih cara, agora vamos ter que fazer alguma coisa...

Havia uma competitividade, mas era saudável.
Claro que tinha, nada melhor do que a concorrência para não cair no marasmo. E tudo virava inspiração para levar esse movimento adiante. Acho que isso durou uma décadazinha, talvez menos.

Uma coisa interessante no primeiro disco da Legião é que o disco todo tocou, além dos sucessos que emplaca-

ram logo de cara, "Geração Coca-Cola", "Ainda é cedo", "Será", "Soldados". E o disco termina com "Por enquanto", uma balada eletrônica, que as meninas gostavam muito de gravar, a Cássia Eller gravou...

Você podia mostrar o riff de "Geração Coca-Cola", uma das grandes músicas do primeiro disco?
Essa música era diferente, com uma distorção, mas em 1984 falaram para botar um violão e, realmente, a música ficou mais branda, sem aquela coisa do *punk*. Como eu falei, "Geração Coca-Cola", "Que país é este?", "Tédio", "Conexão amazônica", eram todas do Aborto Elétrico, um trio tipo *hardcore*, *punk*, Pistols e Clash, então foi preciso trabalhar o arranjo da música, criar o riff da introdução para depois entrar o violão e a guitarra, limpinha. Mas ficou legal, ficou mais radiofônica, na época, era isso.
Na demo, já estávamos tendo problemas com o pessoal da gravadora. O Jorge Davidson queria um som que tivesse mais a ver com o momento do rádio, e não conseguíamos entender o que era. Um dia, tentamos fazer como se fosse uma versão do The Cure para a música "All cats are grey", mas ficou um negócio meio esquisito, bem *dark*, pra baixo, e não rolou. O Jorge Davidson mostrou um disco do Bob Seger, mas era uma coisa meio *country*, que não ia rolar com a gente, mas fomos descobrir depois, ao longo dos anos, que a versão dele tinha a ver com os violões. Era isso, menos ênfase no barulho e mais melodia.

Guitarra distorcida era um problema na rádio brasileira...
Sim, para mim era um problema também não poder usar, porque eu só tocava com distorção.

Tanto o Jorge Davidson quanto o Mayrton Bahia dão impressão de terem contribuído bastante nas gravações da Legião. Que tipo de contribuição o Mayrton trouxe?
Na época, o Mayrton era simplesmente o produtor da Blitz, que tinha vendido muito com "Você não soube me amar". Até hoje ele é um gênio, um cara visionário, precursor, que enxergava vinte anos à frente do tempo. Tenho saudade do Mayrton, algumas sacadas que ele tinha eram incríveis.

Quando estávamos fazendo a demo e rolou esse impasse violento com a gravadora, cruzamos com o Mayrton no corredor, que pediu calma e passamos uma noite conversando. Ele esclareceu uma série de questões a respeito de como funcionava o negócio e ficamos muito mais aliviados, seguimos adiante. Então eles nos chamaram não só para fazer um compacto, mas um LP inteiro, meio que com a salvaguarda de Mayrton, que era um grande produtor da casa. Como naquele momento ele estava ocupado com o segundo disco da Blitz, fizemos com o Zé Emilio Rondeau, que era marido de Ana Maria Bahiana, uma superfofa.

Isso que é incrível, o Zé Emílio era jornalista, mas produzia disco. São coisas da época que não acontecem mais...
Foi engraçado, porque não nos adaptamos ao Marcelo Sussekind, que falou que não trabalharia com aqueles meninos de Brasília. Depois veio o Rick Ferreira, que produzia Raul Seixas,

uma linguagem que até tinha a ver, mas também não rolou, porque éramos pós-punk e a gravadora não entendia. Como o Zé Emilio era jornalista, casado com a Ana Maria Bahiana (pessoas antenadas, que conheciam aquele som), conseguiu identificar mais ou menos o que queríamos.

Ele foi fundamental, mas o Mayrton sempre estava por ali, de olho, foi o cara que realmente traduziu para nós a relação do artista com a gravadora, num momento em que estávamos só fazendo uma demo, com a remota possibilidade de gravar um disco. Ele produziu o *Dois* e, ao longo dos anos, foi produzindo nossos discos e abrindo os nossos olhos – um dia, falou para abrirmos a nossa própria editora; na gravação do quarto disco, sugeriu a abertura do selo; mais tarde, falou para todos os vendedores que o emprego deles estava com os dias contados, porque a internet e a música digital acabaram com a relação física das pessoas com a música. Incrível, ele tinha toda razão, hoje em dia está dando aula...

Aliás, o *Descobrimento do Brasil* foi um dos primeiros a ser gravado com Pro Tools, foi um mix do Pro Tools com o Sync 24 polegadas, aqui no Discovery, no Rio, e isso porque ele reuniu toda essa tecnologia.

Do show do Napalm para o *Dois* foi um caminho percorrido, mas são só três anos, é muito pouco tempo.
Quando fomos tocar em ginásio, que era o caminho a ser percorrido pelas bandas, começamos também a pensar que era isso que faríamos da vida. Tínhamos nos mudado pra o Rio, existia um contrato para a gravadora, já achamos que aquilo duraria um pouquinho mais.

Como foi sair de Brasília? Na verdade, você nasceu na Bélgica?

Sim, meu pai era diplomata, funcionário público, então Brasília era o centro do poder e do funcionalismo público. Saímos de Brasília em 1985, depois de gravar o primeiro disco, por ter que trabalhar no Rio: gravadora, televisão, rádio... Eu tinha vendido minha Brasília para o Bonfá, que reformou toda, era uma Brasília amarela, creme, aí descemos por Brasília, que estava cercada pelo Estado de Sítio, por causa das Diretas Já, passamos pela blitz e descemos. A Brasília pegou fogo uma hora, paramos em Sete Lagoas para dar um jeito e no dia seguinte chegamos ao Rio.

Para um cara que morava em Brasília, o pior castigo era ficar as férias escolares lá, três meses sem ter nada para fazer. Tudo o que queríamos era sair dali e ir para o Rio. Então foi isso, no Rio também tínhamos amigos, os Paralamas, alguma família, e viemos em busca do sonho, para ficar no Rio de vez. Chegamos na cidade com 20 anos, para trabalhar e descobrir esse mundo. Nos anos 1980, nós e nossos cúmplices, artistas contemporâneos, desbravamos esse Brasil de norte a sul e estabelecemos um modelo que ficou até hoje.

Quando eu estava vindo para o estúdio, a primeira coisa em que pensei foi em te dar parabéns pelo ótimo disco que vocês fizeram em 1986. É que as coisas boas permanecem e com o tempo ficam cada vez melhores.

É, fizemos 25 anos do lançamento desse disco e dá para contar a passagem de uma geração por meio dele. É bacana ver uma música como "Eduardo e Mônica" renascer na internet por causa de uma propaganda, que surge de uma maneira espontânea devido à história da música.

O *Dois* é um disco que realmente foi pensado, o Renato veio com umas histórias da síndrome do segundo disco, para conseguir superar o primeiro, que tinha ido muito bem e fez com que a banda aparecesse no cenário nacional, e também para fazer com que nós todos acreditássemos naquilo que estávamos fazendo... Eu tinha 20 anos, 21, quando *Dois* foi lançado, ainda surgiam aquelas dúvidas do tipo: "é isso mesmo, a gente vai ser músico?", "vou viver disso?", "vamos continuar nesse negócio de banda com esses malucos?".
Então o disco nasceu assim, na cabeça do Renato. Depois que tínhamos o repertório, ele fez uma listinha com a ordem de entrada de cada música, um diagrama que explicava por que a ordem teria que ser aquela, começar com "Daniel na cova dos leões", fechar o lado um com "Tempo perdido", abrir o lado dois com "Metrópole". Era como se fosse um *script*, um roteiro, mas eu só pensava nas músicas, e não no motivo daquela música abrir e a outra fechar. Mais tarde é que você vai entender o porquê das coisas, mas foi bacana, foi bom fazer, foi espontâneo.

***Dois* projetou a banda definitivamente no cenário do rock brasileiro da década de 1980. Qual foi a vendagem do disco?**
Na época, vendemos 500 mil LPs, eu acho, e era um momento difícil, primeiro para conseguir papel para fazer a capa, o RPM estava lançando *Rádio Pirata*, um duplo, e estava faltando matéria-prima no mercado, papel e, inclusive, a massa para fazer o

vinil. Aí veio o nosso querido Plano Cruzado, Sarney chegou lá, botou todo mundo de fiscal, esconderam o boi no pasto, a coisa desandou e virou uma crise. Mas, apesar de tudo isso, todo mundo vendeu muito, o RPM, a gente, Os Paralamas, e Titãs devem ter chegado a vender também, mas *Dois* foi o disco que realmente jogou a banda para cima – nossa geração toda nessa época chegou junto, com a força que tinha que vir e fincou a bandeira do respeito, claro, devido à admiração do público. Isso só aconteceu porque as pessoas ouviram, se identificaram, consumiram e viveram aquilo.

Vocês tinham uma postura interessante para quem estava fazendo sucesso na época, era uma postura sóbria.
Tínhamos receio de ser confundidos com quem era metido a besta, só porque de repente atingimos um patamar de vendagem e público. No primeiro disco, tocávamos em boate.

"Quase sem querer", a segunda canção do lado A, tocou muito nas rádios e é de sua autoria. Vamos falar um pouquinho dela, que é basicamente conduzida nos violões.
Antes de gravarmos o disco, o Renato trouxe uma fita cassete e falou para eu escutar. Era só violão, muito Cat Stevens, Paul McCartney, rock e pop, mas com o violão conduzindo. Eram só clássicos, ideias muito boas, e aquela coisa acabou impregnando, não forçosamente, mas porque você ouvia, se deliciava e acabava entrando em você – foi meio que uma pílula, uma vitamina.

"Quase sem querer" veio nessa onda e, realmente, tinha algo de Smiths. Conforme falaram na época, é aquela progressão

"O *Dois* é um disco que realmente foi pensado, o Renato veio com umas histórias da síndrome do segundo disco, para conseguir superar o primeiro, que tinha ido muito bem e fez com que a banda aparecesse no cenário nacional, e também para fazer com que nós todos acreditássemos naquilo que estávamos fazendo…"

Sol, Lá, Dó, Ré, eu com a guitarra costurando por baixo e a viola na frente. Foi surpreendente ter funcionado e tocado no rádio, porque o *single* desse disco era "Tempo perdido". Aliás, uma vez, em Caruaru, um cara me deu o disco promocional, que ia para as rádios, com o single e uma entrevista feita por nós mesmos, para a divulgação.

"Quase sem querer" é uma música linda, e a letra vem de uma música que tínhamos começado a fazer em Brasília, antes do primeiro disco, chamava "1977". A música basicamente é baixo, bateria, guitarra e voz, então o lance dos acordes da guitarra preenchiam um pouco os espaços entre o arranjo em cima do baixo e da bateria, uma célula rítmica intensa, e o dedilhado ficava no *delay*. A música é um mantra que vai nessa sequência, do Lá, até chegar no Mi menor. Muito foda ter gravado isso e ouvir sendo tocado nas rádios.

Nesse disco, é difícil não falar sobre todas as músicas. Você citou "Índios", uma música que a Legião não tocava ao vivo por causa de uma programação de teclado. É isso?
Não, na verdade, quando lançamos o disco, o Renato tocava e cantava nos shows. O problema ali era a letra, trocar uma parte pela outra, o que daria um problema quando chegasse ao refrão. Mas essa foi a última música a ser gravada, inclusive eu nem toco – depois desse lance, eu comecei a ter essa superstição de não tocar em pelo menos uma das músicas.

Isso aconteceu ao longo dos discos?
Eu tentava, mas não sei se acontecia, virou uma coisa assim de eu escolher uma música para não tocar. No disco seguinte, eu

não toco em "Angra dos Reis", mas no *Quatro Estações* não sei se rolou.

"Índios" foi um tema que o Renato compôs e gravamos, uma progressão quase bachiana, que deságua naquele refrão incrível. A letra ele colocou na hora em que estavam mixando a última faixa, já na salinha de mixagem. Resolvemos tentar e se tornou aquele negócio, a música que fecha o disco, porque depois que termina vem aquele violãozinho, que marca o fim desse projeto do segundo disco, deixando lá para trás aquela síndrome. No *Dois*, tudo foi acontecendo de uma forma natural, intuitiva, as pessoas estavam muito a fim de fazer o disco, estavam trabalhando e se alimentando daquilo ao longo do processo, que deve ter durado um mês e meio, dois.

Precisamos falar de "Eduardo e Mônica", que tocou muito na época e toca até hoje.

Depois que o Renato saiu do Aborto, ele ficou um tempo como o trovador solitário, abria os shows da Plebe, do Capital. Ele cantava "Eu sei", "Mariane", "Eduardo e Mônica", "Música Urbana 2", e estávamos muito acostumados a ouvir o Renato cantar aquelas músicas, era muito natural, num formato *folk*. A Legião era uma banda pós-punk, e quando chegamos com aquela história bacana de um relacionamento que dá certo, uma música de mais de 5 minutos, que, de repente, deu certo, fomos pegos de surpresa. Não imaginávamos que iria tocar do jeito que tocou, quando me dei conta, estávamos no "Globo de Ouro", aquele programa da Globo, tocando essa música em *playback*.

É incrível, recentemente a música foi tema de uma propaganda viral da Vivo, uma história que a O2 filmou, de um jeito fofo, de chorar. Eles botaram isso no ar e teve 10 milhões de *views* em uma semana ou algo que o valha, não só por conta da força da canção, mas da interpretação, porque outra companhia de telefone já havia feito propaganda com a música, mas com outra interpretação, e ninguém viu, até deu um problema. A linguagem da canção, tudo o que está ali, até hoje bate, é tão universal, uma história de amor, de como você encontra a sua namorada. E tem muito a ver comigo também, a Fernanda é mais velha que eu e começamos cedo.

Com o sucesso do segundo disco, veio a exposição pela mídia. A banda estava preparada para essa invasão de privacidade?

Cara, acho que a gente sempre criou uma certa barreira. É claro que há 25 anos não era como hoje, que tudo se exacerbou de um jeito até fora de controle, tem quem procure a fama e quem queira fugir e, de repente, não consegue lidar.

Na época, era bem claro na nossa cabeça que o trabalho era o trabalho e a vida continuava. A Legião já tinha virado uma entidade. É difícil, mas todos ali tinham essa postura, é claro que íamos ao Chacrinha – quando fomos receber o disco de platina duplo ou de ouro, era época de Natal e fomos obrigados a usar gorrinho de Papai Noel. O Biafra, que era praticamente o sócio do Chacrinha, tirou o gorrinho e o Chacrinha mandou voltar, já o Ira! não quis entrar de gorrinho e foi banido do Chacrinha... Mas, de algum jeito, mantivemos certa distância sadia dessa coisa do sucesso, que trouxe a Legião para um patamar de respeito, porque, na verdade, estamos ali vivendo do nosso ofício de fazer música, e a melhor parte é sempre tocar ao vivo.

Depende de como cada um lida com isso, eu nunca me deslumbrei, pelo contrário. Depois que a Legião já estava no quinto disco e existia por conta própria, fui tocar com o Fausto, nos anos 1990, criei meu selo, gravadora, loja, passei a produzir outros artistas, enfim, fui cuidar da vida, porque se você pensar, aquilo poderia ter sido só uma efemeridade, mas não foi e estamos aqui até hoje.

Quer queira, quer não, vocês se tornaram celebridades. Mas quando a gente montava uma banda de rock, naquela época, era a tentativa de viver um sonho. Como definir o que era montar uma banda naquela época?
Totalmente, era como se agarrar a um sonho, a um ideal, de que você vai fazer música e as pessoas vão se transformar por meio do que você está fazendo. Isso é exatamente o que você sente quando é público, vê o cara em cima do palco e aquilo mexe com você de um jeito. E eu era público, na época, do Pepeu e da Baby, da Cor do Som, tudo o que pintava lá, a gente enlouquecia...

Você era fã da Cor do som? O que você via neles?
Era essa coisa da banda e as canções, que a gente ouvia, o Armandinho era o cara, nem preciso falar do Pepeu, realmente um ídolo. Antes de pensar em montar uma banda, com 9 anos, eu ouvia Secos & Molhados, em 1974, 1975. Em Brasília, em 1980, o disco que rolava na vitrola até furar era *Acabou Chora-*

re, o disco da Cor do Som, Alceu Valença, *Cavalo de Pau*, tudo música brasileira, Robertinho do Recife, que lançou aquele disco *Satisfação*, todos os caras que passavam por Brasília nós íamos ver e realmente batia um lance visceral, de identificação. O Aborto Elétrico, que a gente também ia assistir, era outra linguagem, outro lance, mas é isso que você falou, quem montava banda era porque queria muito, poder fazer som com aqueles caras que ouvíamos, da Plebe, do Capital, da Blitz, chegamos a abrir show para eles como Legião, pré-disco, mas depois foi tudo muito rápido...
E nem tínhamos equipamento, meu primeiro amplificador foi um Checkmate, dos irmãos Vitale, era uma editora, eles faziam partitura, mas era o que tinha na época e eu ainda troquei o falante por um Novik. Era lamentável, mas era bom, desse jeito mesmo, a gente ia lá e arrebentava. Nosso sonho era ter uma banda e a música chegar no Brasil inteiro, então é como se vivêssemos esse sonho sempre, porque as pessoas estão aí, ouvindo o que você fez há duas décadas. Tudo veio com uma força muito intensa, Blitz, Paralamas, Titãs, Ira!, RPM, foi avassalador e estamos aí, ainda vivendo esse sonho.

Não quero cair no lugar comum, mas fala um pouquinho do Renato Russo.
Ele era, basicamente, o agente catalisador dessa história, que chegava e agregava as pessoas, agregava os valores de cada um em tudo que ele pensava. Essa coisa da Legião Urbana, na verdade, era aquela turma da cidade com a qual ele estava e que ele mobilizava em função da música, da arte, da produção, do que fosse, um movimento para não deixar as pessoas paradas,

inoperantes. O lance era: estamos aqui nesse fim de mundo que é Brasília, no centro do país, a cidade era jovem, nós éramos jovens, e não queríamos deixar o tédio acabar com a gente.

Aí veio o punk rock, alguém trazia da Inglaterra o compacto dos Pistols, "Anarchy in the UK", "God Save the Queen", o *Enemy*, o *Melody Maker*, e o Renato era o cara que fazia a informação circular, como professor da Cultura Inglesa. Inclusive o Pedro Ribeiro, irmão de Bi, foi aluno dele e o Renato era só quatro anos mais velho que o Pedro, que conta que ele ensinava inglês com o som do Clash, com "Lost in Supermarket". Então ele era essa figura empreendedora, visionária e acolhedora, ao mesmo tempo. Era o combustível, a faísca, a luz, pois não tínhamos tempo a perder, queríamos fazer algo acontecer e se você era de uma banda, não ia ficar parado sem fazer nada, tínhamos que fazer música com ele. Era um irmão mais velho falando, e a gente tinha que respeitar.

Já nos primeiros trabalhos, o Renato Russo demonstrava ter muita informação, conhecer os poetas, não só de nossa geração, mas também de outras, ele lia e escutava muita coisa. De certa forma, isso refletiu nas composições?
Sim, o Renato era uma enciclopédia da cultura de rock, do Gang of Four ao Bob Dylan, passando pelo o que você quisesse, por jazz, Ella Fitzgerald, o que quer que fosse. Música brasileira também, lembro que ouvíamos muito a música do Chico Buarque, Pepeu Gomes, Novos Baianos, Robertinho do Recife, Gilberto Gil, Caetano Veloso, e ele conhecia muito de música popular brasileira, tanto que gravamos "Juízo final", do Nelson Cavaquinho, que acabou não entrando no *Dois*, e eu nunca tinha ouvido falar em Nelson Cavaquinho, em 1985.

A cultura musical dele era muito forte. Literatura também, os poetas todos, de Shakespeare a Fernando Pessoa, Augusto dos Anjos e por aí vai. O cara era realmente uma esponja e um espelho que refletiu tudo isso.

Como situar o Renato Rocha dentro da Legião Urbana?

Quando Paralamas lançou um compacto, que de um lado era "Vital e sua moto" e do outro "Patrulha noturna", pensamos que a bomba tinha explodido muito perto, afinal, eles eram nossos amigos, e ficamos com a esperança de que acontecesse alguma coisa para nós também. Um dia, por alguma fatalidade, veio a notícia de que o Renato havia tentado o suicídio, cortado os pulsos – na verdade, ele tinha cortado os pulsos e chamado a mãe, aquelas coisas dos românticos, do glamour poeta suicida, que ele já tinha visto em tantas biografias de poetas malditos. Mas já vínhamos pensando que seria melhor se ele estivesse livre do instrumento, para ficar mais tranquilo para cantar, e com os pulsos cortados também acabou ficando complicado tocar. Mas o Renato era um grande baixista, as referências de baixo dele eram Brian Wilson e Paul McCartney. Aí o Bonfá, que era o recrutador de músicos, foi lá no Negrete [Renato Rocha], que se amarrava em punk rock, Dead Kennedys, essas coisas, e perguntou se ele não estava a fim de entrar na banda. O Negrete veio para a gravação do primeiro disco, porque na demo ainda estávamos em trio, e ele se encaixou muito bem, mas tinha um problema, era completamente alucinado, não tinha normas, por exemplo, se o avião saía às 10h, precisávamos chegar ao aeroporto às 9h, e ele chegava às 11h; na excursão do Rio Grande do Sul tivemos que remanejar todas as datas dos shows...

Enfim, continuamos juntos e no *Dois*, a música de abertura, "Daniel na cova dos leões", tem sua mola propulsora na linha de baixo, que a guitarra vem acompanhando, "Quase sem querer" também tem esse lance do baixo.

O Renato Rocha era um cara que estava sempre rindo – aquele sorriso do gato da Alice –, mas com um bom humor incrível, alto astral, só que na gravação do quarto disco ele exagerou, foi morar lá na serra, a 120 km do Rio, isso com gravação todo dia. Nós reservávamos os estúdios da gravadora das nove às seis da manhã e ele não aparecia, começou a sumir do processo de composição e de produção do disco, e sempre faltava um instrumento na hora de tocar, então eu pegava o baixo, o Renato pegava o violão e a guitarra, mas faltava um elemento harmônico para compor.

Ele foi se degenerando socialmente, digamos assim, e logo depois do Ano-Novo, em 1988, falamos que não dava mais. Foi uma pena, porque sempre ficou faltando um dos elementos, contrabaixo, violão ou guitarra, e a partir daí tivemos que nos adaptar, pensar um novo jeito de fazer música. Mas ele é uma grande figura O

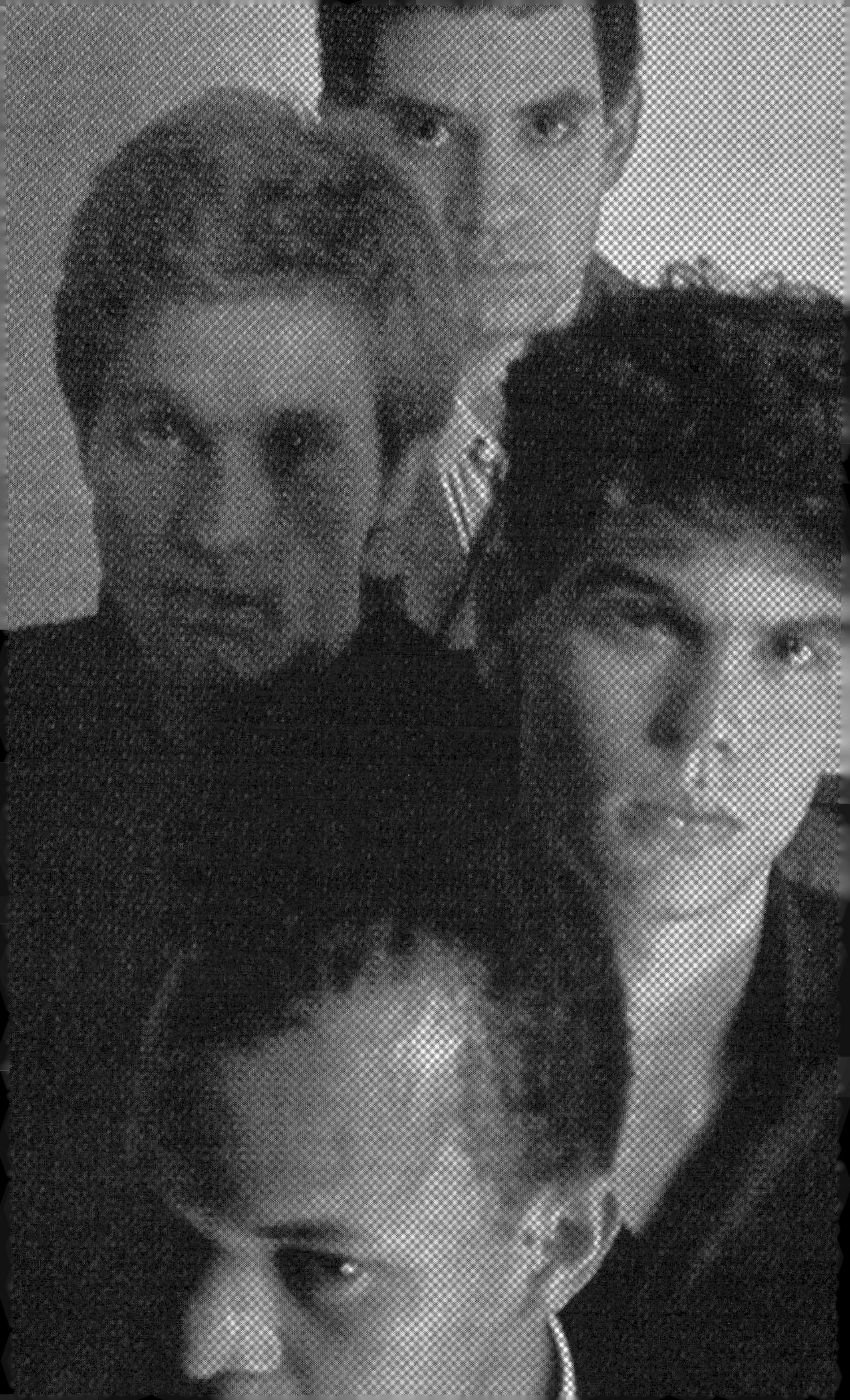

Marcelo Bonfá

O que você foi fazer em Brasília?

Meu pai dava aula de Sociologia e também trabalhava no Banco do Brasil, e nesse período conturbado da ditadura, ele tinha umas ideias contra o que era imposto no momento, então começou a ser procurado e falaram para ele dar um tempo. Ele ia sair do país, mas acabou ficando em Brasília – deve ter pensado: "nada melhor do que ficar no meio deles para me esconder". Então fomos parar lá.

Como estava a cena alternativa de Brasília antes da Legião Urbana se formar?

Foi um momento muito especial para a cidade, recentemente ouvi dizer que nós fomos cobaias, Brasília fez um teste com os adolescentes da época. Era um contexto bem diferente de Itapira, no interior de São Paulo, de onde eu tinha vindo, e o Dado vinha da Bélgica, não sei quem do Rio de Janeiro, então aquilo era uma "Babylon Five", uma nave espacial maluca. Eu estava na sétima série do segundo grau e começamos a nos encontrar na rua, muito pelo visual mesmo, por uma identificação, já que tinha bastante gente de fora na cidade. O movimento punk estava começando e assumimos aquela estética.

Já pensei em escrever sobre esse período, mas quando parei para ver, ele durou um ano e meio e trocentas coisas estavam acontecendo ao mesmo tempo, como a formação do Aborto Elétrico, que culminou na Legião Urbana e no Capital Inicial. Lembro de ir aos ensaios do Aborto, que eram os nossos grandes eventos, ficávamos malucos com o som pesado, era uma engrenagem, uma energia, e o meu lance era lidar com essa energia de alguma forma – como batera, temos isso, de botar ordem no caos ou caos na ordem – e foi um impacto quando eu vi, pela primeira vez, o Fê Lemos com uma Premier amarela. Era um tanque de guerra, poderoso, porque não existia equipamento e nem esse som no Brasil, então o baterista que formava a banda e o Aborto Elétrico foi formado em cima da batera do Fê. Engraçado que ele não deixava ninguém chegar perto, mas por ironia, a mim ele deixava e eu tocava nos ensaios. Um dia, estava acontecendo um festival de música num ginásio e como eu ensaiava, eventualmente, com a Blitz 64, uma banda que tocava com o Aborto, toquei um pouco de prato e caixa e senti um poder. Como eu ainda ia a São Paulo, num final de ano comprei uma Pinguim azulzinha boate e quando voltei, como as pessoas tinham viajado em janeiro, só tinha eu de baterista na cidade, para todas os guitarristas e baixistas das bandas.

Com o André Muller, que mais tarde formaria a Plebe Rude, montamos uma banda que tinha cinco nomes, entre eles, Quinta coluna, Os metralhas, Serviço de limpeza urbana, e fizemos show no Food's, entrava uma banda e saía outra, eu toquei com todas elas, e vinha polícia, cachorro, e o nosso cachê era um sanduíche. Assim, começamos a nos desenvolver rapidamente e a turma foi se agregando em volta dos núcleos das bandas. Teve Dado & O Reino Animal, que durou uma semana e meia, e fizemos cinco músicas, até que culminou na briga do Renato Russo com o Fê, que saiu do Aborto, e [Renato] ficou uns dois meses compondo no violão – esse foi o momento de "Faroeste caboclo". Até que um dia nos encontramos em uma festa maluca que sempre íamos como penetras, porque havia muita reunião de embaixada, das autarquias, alguém sempre conhecia alguém e o Renato me chamou para formarmos uma banda.

Eventualmente nos encontrávamos na casa do Renato para ouvir uns discos que o André Muller trazia, porque na época era assim, chegavam LPs de quem vinha de fora, não havia loja que vendesse essas coisas e muito menos internet. A troca de informação acontecia dessa maneira, você botava o disco na agulha e sentia a energia. Sex Pistols, por exemplo, era uma catarse pura, era o que queríamos fazer, porque escutávamos o que ele estava cantando e transpúnhamos ao nosso contexto histórico da ditadura. Eu escutava o disco, olhava na janela e via a polícia dando porrada num cara vestindo uma camisa com a bandeira do Brasil, isso com 16, 17 anos, então eu queria brigar, dizer o que aqueles caras estavam dizendo. A Legião foi montada assim, com o Renato canalizando as ideias nas letras e a gente empurrando.

Quais discos vocês ouviam nessas reuniões?
Cara, a banda que me fez tocar batera foi uma chamada Buzzcocks, que eu adorava, e o Public Image, foi um divisor de águas, também tinha o Commissar Angels. Na verdade, eu sempre ouvi rock, desde que me conheço por gente – lembro de ficar no meu berço pulando ao som de Rita Pavone. Tinha os Carpenters, os Pholhas, nessa época, 1960, 1970, e o rock progressivo me chamou muita atenção pela coisa dos climas, eu devia ter 9, 10 anos de idade, porque ainda estava no interior. Para mim teve também um lance do colégio, de fanfarra, eu era moleque e tocava, então tudo isso canalizou na minha adolescência em Brasília.

O que exatamente o André mostrava e quais as bandas que influenciaram o Renato?
Pelo o que eu me lembro, o Renato tinha um acervo bem variado, mas o que nos unia mesmo eram as bandas punks, a gente se identificava muito e aquele negócio mudou a nossa vida, apesar de qualquer coisa mudar a sua vida quando se está na adolescência. O André gravava umas fitas cassete para nós e tinha de tudo, The Damned, Wire, os Sex Pistols, quando saiu o disco, e o próprio Buzzcocks, que tinha uma levada rápida de batera.

Mas, no fim das contas, a minha influência e a da Legião vão além disso, porque nós tentávamos fazer igual, mas sempre tinha um pouco de suingue. E uma banda é um casamento, mas também um telefone sem fio, em que a informação passava de um para o outro e era manipulada, até chegar em algo diferente. Começamos como uma banda de garagem, eu pegava o Renato em casa, o pai dele jogava a chave do carro para mim e íamos ensaiar não sei onde, em Brasília. Foi mais ou menos assim nosso primeiro processo de composição.

O que fez eu e o Renato nos juntarmos mesmo e fazermos a banda foi o *Metal box*, do Public Image, que o André Muller trouxe e vinha em uma lata de filme mesmo, com três LPs dentro. O Renato tinha um som na casa dele, um Espectro, talvez, que tinha um grave fantástico e o disco era basicamente grave. Como o Renato tocava baixo e eu, bateria, acho que ele viu um caminho por aí e por isso ficou a fim de tocar comigo. E era isso, porque quando o Renato dava duas pegadas, eu sabia o que fazer, tanto que as composições do Legião foram em cima da bateria, eu começava alguma coisa e o Renato ia embora e criava uma linha melódica. Ele falava para mim: "toca aí, Marcelo", e eu perguntava o que ele queria e ele dizia: "tambores".

Os arranjos da Legião foram assim durante muitos anos, e não havia espaço depois para eu entender a música, ela ia sendo montada e quando eu me dava conta o negócio já estava pronto. Você gravava com um *headphone*, tentando explicar para o técnico que o som está horrível – imagina tocar um instrumento que são vários instrumentos, com microfone em cada, e o som passando por um fiozinho até a sala de edição e voltando para você. E depois que eu gravava a bateria, vinha o Renato com a letra e a gente colocava, mas aquilo depois virava outra música, servia de base para criarmos algo, porque no final a letra e a linha melódica eram completamente diferentes das iniciais, o que sobrava era só a bateria, mas aí o meu trabalho já estava finalizado, não tinha como eu decidir colocar uma virada, um prato.

Na nossa época, arranjar o que já estava gravado não era possível. As pessoas iam mudando os arranjos em cima da bateria.

E dava muito trabalho gravar uma bateria na época, microfonavam o tom por cima, por baixo, do lado, tinha que microfonar caixa, esteira, prato, ambiente. Se a gente fala, as pessoas ficam malucas, porque hoje em dia eu coloco um microfone só, um 414 e ele capta. Ninguém mais vai mudar isso, porque com muitos microfones é difícil fazer o equilíbrio, são pontos de vista sobre o instrumento, só se eu mixar, mas ainda assim dá muito trabalho, misturar a pegada de caixa com a esteira, com o ambiente. Eu adoro um microfone só. Vou te falar, os Beatles é que foram felizes.

Vamos falar do início da Legião. Quando você e o Renato se juntaram, já existia o nome, a ideia de uma sonoridade, algumas músicas que vieram do Aborto Elétrico?

A referência era o momento do punk e a sonoridade do Public Image, que era bem grave e tinha uma pulsação, uma levada punk. Essas coisas acabaram desembocando em "Ainda é cedo", "Soldados" – quando ainda não tínhamos guitarrista, o Renato tocava baixo e eu, bateria, e fizemos uma apresentação com algumas músicas, entre elas, essa.

Mas não havia uma conversa de vamos fazer um som de determinada maneira. O que aconteceu, desde o início da Legião, foi uma identidade musical entre mim e o Renato, era ele que me movia a tocar, eu não trazia influências; para mim, o mundo era construído em cima da informação trazida pelo Renato, da energia dele, que era muito forte e foi assim até o final.

Como pintou o nome da banda e de que forma o Dado passou a integrá-la?

O nome veio com o Renato, durante a festa em que ele falou para formarmos a banda, mas eu não tenho certeza se foi exatamente lá que ele sugeriu. Mas eu ia falar o que? "Que nome feio?" Eu achei o nome muito legal e disse para irmos em frente. Foi muito rápido, porque começamos sem guitarrista, a ideia inicial era ter um núcleo de baixo e bateria. Alguns guitarristas da turma tocaram com a gente, inclusive o Ico, irmão do Dinho Ouro Preto, durante uma semana, depois entrou uma galera, um tecladista, um menino que chamava Paraná, tocava guitarra e violão, mas a praia dele era diferente da nossa e foi aí que ficou claro que queríamos seguir aquele caminho do punk, uma coisa mais crua, e queríamos alguém que tivesse uma identidade conosco, mesmo que não tocasse muito bem, não fosse um virtuose, mas que tivesse uma maneira de se expressar com o instrumento, que é como eu me vejo tocando e é como o Renato tocava, que ninguém fazia igual.

Acho que o Dado entrou quando estávamos produzindo um show que aconteceria num teatro em Brasília, da ABO. Devíamos estar sem guitarrista e o Renato chamou o Dado, que era da turma do Food's. Para ser sincero, tem algumas coisas que não lembro direito.

Você e o Renato já tinham uma sintonia. Como o Dado Villa-Lobos se encaixou na sonoridade da Legião? O lance do riff na guitarra veio um pouco depois dessa época, pós-punk, em que vocês estavam...

Na verdade, eu não tenho muito esse ponto de vista, o Dado não se encaixou, ele ajudou a formar a banda, com o estilo dele. Eu não sei o passado dele como músico, mas acho que ele começou a tocar violão e guitarra com a gente, como eu também comecei, porque não éramos de ficar fazendo covers, nem nada assim. O movimento punk foi o que fez com que a gente quisesse se expressar, e quando o Dado entrou a Legião Urbana fechou mesmo, foi uma peça que encaixou, principalmente porque ele tinha uma pegada. Fisicamente falando, a gente sabe que o baixo pega num lugar, a bateria em outro e a guitarra é uma coisa mais cerebral, e já tinha muita coisa cerebral nas músicas, mas faltavam as frequências, os timbres, que o Dado trouxe. A identidade da Legião são as guitarras do Dado, a minha bateria e o baixo do Renato.

Então vocês viraram um trio e tiveram dois shows muito importantes, um em São Paulo, no clube Napalm, e outro no Circo voador, no Rio de Janeiro. Eu estava no Napalm quando vocês se apresentaram e foi anunciado a chegada em São Paulo de três bandas do rock de Brasília que já eram comentadas no boca a boca: Plebe Rude, Capital Inicial e Legião Urbana.

Tocamos em Brasília e depois foi tudo muito rápido. Acho que esse lugar em São Paulo ficava na Marquês de Itu, e a gente saía de madrugada, andando pelo centro da cidade. Nesse momento, São Paulo tinha uma cena bem legal. Ficava mais ou menos nisso, de cruzar com a galera de São Paulo e de Brasília, porque no Rio de Janeiro não tinha essa coisa, era outro clima, talvez meio blues, até hoje é diferente.

É diferente porque tem praia, e isso muda tudo. São Paulo e Brasília são cidades de concreto e asfalto. Mas em Brasília é diferente de São Paulo também, temos muito verde, o céu... E tem o fato das pessoas virem de muitos lugares, procurarem uma turma para se juntar.

No Napalm, teve algumas histórias engraçadas, quando chegamos o circo já estava armado, porque o dono do lugar queria registrar as imagens das bandas e estava rolando um embate, é claro, ficamos do lado das bandas de São Paulo e ele não filmou. Acho que somos a única banda que não tem registro e hoje eu queria assistir, porque éramos moleques. Mas ali no Napalm foi realmente um começo, e existiam muitas casas em São Paulo, um lance de várias começarem com R, como Radar Tantã, Radio Clube... tocamos em todas, sempre cheias, eram boates com um palco, na verdade.

Com esses shows, vocês deram uma aquecida no repertório, vieram para o Rio de Janeiro e teve até um envolvimento do Herbert Vianna, porque os Paralamas do Sucesso já tinham gravado um compacto na EMI/Odeon e ele sugeriu à gravadora que desse uma olhada em vocês, uma banda promissora de Brasília. Vamos falar um pouco desse episódio e de como vocês foram parar na EMI.
Tudo aconteceu ao mesmo tempo. Estávamos tocando no Napalm como um trio, e acho que o Renato recebeu o telefonema do convite para o Circo Voador. Foi também em função dos Paralamas, que estavam na gravadora, falaram com o Jorge Davidson e gravaram "Química", do Renato. Também é muito importante essa época do fim da ditadura e do sur-

gimento de um movimento musical de certa liberdade, encabeçado por jovens – a gravadora ia a esses lugares em que fazíamos shows, então quando encontravam uma banda que tinha algo de diferente, como os Paralamas, se interessavam mesmo. Acabamos fazendo uma demo para a EMI e voltamos para Brasília. Depois que já tínhamos assinado o contrato, o Renato cortou os pulsos, literalmente, eu recebi um telefonema, fui vê-lo no hospital... Cara, eu não sei como eu lidei com tudo isso! Uma semana depois, fui numa festa e, como era amigo do Renato Rocha, perguntei se ele estava a fim de tocar na Legião, porque iríamos gravar um disco dali a quinze dias. Viemos para o Rio e ficamos num hotel em que todo mundo ficava, na Barata Ribeiro, pegávamos o túnel para ir para a gravadora. Foi assim que fizemos o primeiro disco, com o Negrete como baixista. E depois que o Renato fez isso, veio a mídia e começou a falar, e ficou essa história de tentar explicar. Eu não lembro o que ele falou, mas lembro de uma história que diziam que ele fez isso porque não queria mais tocar baixo e sim ficar fazendo aqueles movimentos no palco. Mas não tem explicação nenhuma, e aí começaram os meus problemas, porque você sabe a importância da cozinha, de ter uma identidade musical com um cara que está ali do seu lado e não basta ser amigo, tem que ter uma linguagem em comum. Se você não tem uma linguagem com um baixista, não passa nada, fica difícil, e foi um sufoco danado para mim, porque a gente vai desembocar no *Dois*, já que o primeiro disco estava todo certo, criado por nós, com as linhas de baixo que eram e executadas pelo Renato e que na gravação ficaram totalmente diferentes.

Para mim, o disco não era para ser nada daquilo, era para ser muito mais sujo.

Você acha a produção do primeiro disco mais polida?
Completamente. Mas é o que é. Na verdade virou outra coisa depois de gravado.

A EMI fez uma reedição primorosa do trabalho de vocês, com umas fotos de época que não saíram no original.
Será que eles iam gastar esse dinheiro todo no primeiro disco?

Foi difícil encontrar um produtor para o primeiro disco, não? Até porque a gravadora não estava entendendo direito a onda de vocês.
Sim, tem até umas histórias muito loucas, quando o Jorge Davidson percebeu que éramos um bando de brigões, falou para o Renato: "olha, não sei não, esses caras aí." Ele queria só o Renato, a gravadora sempre quer só um, porque é mais fácil lidar. Mas o Renato mesmo descartou essa parada.

Essa insinuação para que ele seguisse carreira solo chegou a acontecer?
Eu acho que sim, o Renato me falou uma vez, quando eu estava defendendo uma galera. Éramos muitos unidos, sabe? Nos nossos ensaios e nas nossas gravações não entrava nenhuma interferência, o que tinha que entrar já estava ali. Então eu, o Renato e o Dado já tínhamos criado o universo desse disco, e quando o Renato Rocha entrou no estúdio para gravar, já estava encaminhado.

Por que você acha a produção desse disco tão polida?

Porque nossas referências vinham do rock progressivo, do punk rock, Sex Pistols, Ramones, e já estávamos no pós-punk, no Public Image – era o que queríamos fazer, pelo menos eu, mas o Brasil ainda não tinha passado por isso, não existiam essas referências, os sons de bateria da época eram de caixa de fósforo e o som que a gente estava ouvindo era rock britânico, sujo, com uma pegada, que foi o que eu sempre ouvi (não consigo ouvir muito rock americano)... mas tudo bem, o resultado é legal. Os produtores começaram a trabalhar e eu brigava com todo mundo, tem uma foto minha com o Marcelo Sussekind, o Rick e o Zé Emilio. Lembro que em "Geração Coca-Cola" queriam fazer uma versão country, com violões. Acabamos ficando com o Zé Emilio Rondeau, eu não lembro exatamente, mas tive um problema quando estávamos gravando "Ainda é cedo", ele veio com Bruce Springsteen como referência e eu falei "não"!

Para quem era pós-punk, trazer uma referência *mainstream* é uma declaração de guerra. É exatamente o que você não quer ser.

Já estávamos no estúdio para gravar, ia colocar um pianinho, e a gente reclamando, até que ele levantou, disse que não dava e foi para o carro. O Renato olhou para mim e disse que se aquele cara fosse embora, nós também iríamos, nos mandariam de volta para Brasília. Então fomos lá no carro, ficamos batendo no vidro, pedindo para ele voltar, até que ele voltou e gravamos o disco.

Mas é muito polido sim, estávamos inaugurando a gravação desse tipo de som.

A nossa geração inaugurou várias coisas que não eram feitas ali, naquele momento. Do ponto de vista de quem estava ouvindo o disco na época, posso te dizer que ele foi muito comentado em São Paulo, o som e a gravação eram muito boas e, com o disco dos Paralamas, foi um avanço em termos de gravação no rock brasileiro. O pessoal de São Paulo começou a comentar que a EMI/Odeon estava gravando de maneira diferente.

Foi uma luta com técnico de som, produtor e, na verdade, esse disco é um toma lá-da-cá. Claro que conseguimos bastante coisa.

Além de comandar os tambores da banda, você também compunha. Queria que comentasse as faixas que são de sua autoria e do Renato.

Dizem que baterista não é músico, que nós só andamos com eles. Eu faço uma analogia também com time de futebol, o baterista está mais para goleiro, não porque ele só fique na defensiva, mas porque só tem um, mas ele vai lá e faz gol.

Em Montevidéu, durante o show com as bandas que também tocavam em 1985, descobri que eles chamam bateristas de maestro, chamam tanto carinhosamente quanto profissionalmente.

"Nossas referências vinham do rock progressivo, do punk rock, Sex Pistols, Ramones, e já estávamos no pós-punk, no Public Image – era o que queríamos fazer, pelo menos eu, mas o Brasil ainda não tinha passado por isso, não existiam essas referências, os sons de bateria da época eram de caixa de fósforo."

Paulo Miklos fazia isso, e quando ele me chamava assim eu adorava.

É, no Brasil isso não rola e temos que ficar explicando umas coisas que não estão tão claras. As composições na Legião aconteciam num formato de banda. Eu não toco violão, não tenho jeito, no máximo toco baixo, e tem uma levada ou outra de baixo feita por mim, as coisas foram compostas assim, ou no teclado também, mas foi em mais um caminho. Era como eu atuava no âmbito de composição, naquele momento. Pode-se analisar a pegada, o som, o timbre – Ramones fez quantos discos com a mesma batida e a mesma levada? – mas cada música tem uma sutileza, um andamento.

Nós passamos por vários momentos de composição, como nesse estávamos em Brasília, "Será" e outras coisas foram criadas naquela catarse, com exceção de "Petróleo do futuro" e "Perdidos no espaço", que, se não me engano, foram feitas no estúdio. "Reggae" foi nossa tentativa de fazer um reggae, lembro que o Dado não tinha essa veia e eu falava para ele segurar numa mão que eu faria a outra, mas tinha hora em que ele dava o contratempo diferente. Eu ouvia muito Bob Marley, então sabia que aquilo era quase um reggae, estava muito distante de ser um.

"Soldados" foi uma criação de baixo e bateria, a partir da levada bumbo, surdo, bateria e baixo. Não teve uma música que eu trouxe pronta, com exceção do Renato, ninguém trazia.

Quais músicas se destacaram e foram executadas nas rádios?

"Será" era a música que tocava no rádio. Era um processo muito doido, passar um tempão no estúdio e, de repente, vinham as provas, chegava na sua mão um vinil e você ficava olhando para aquilo sem entender, que nem criança faz hoje em dia. A gente sabia o que era, mas ainda assim ficava surpreso.

Essa é a mágica do vinil, entender como é que o que você está tocando no estúdio sofre uma série de transformações e termina no disco.
Acho que tudo é mágico, ouvir tocando na rádio era uma realização também.

O que aconteceu quando você ouviu "Será" no rádio pela primeira vez?
Eu não sei direito, porque estávamos muito envolvidos e éramos muito novos, mas não foi algo surpreendente. Para nós era um processo natural, porque colocávamos tanta energia naquilo que tinha que dar em alguma coisa. E quando éramos moleques, em Brasília, já nos achávamos os melhores do mundo, sem ter gravadora, nem nada. Tanto é que, na época, eu disse que foi uma marmelada não terem nos chamado para tocar no Rock in Rio.

Mas no primeiro Rock in Rio faltaram muitas bandas do rock brasileiro. Em 1985, acho que não acreditavam que o rock brasileiro já estava maduro e tinha conquistado seu espaço, tanto é que só tocaram bandas que tinham chegado antes, como Barão Vermelho, Os Paralamas do Sucesso e Blitz, nem Ultraje a Rigor, nem Legião Urbana ou Titãs estavam entre os convidados.
Se estivessem também, teria sido outra coisa, imagina a catástrofe...

No lançamento, a EMI não estava acreditando que o disco venderia tanto e tão rápido.
Alguém contou uma história engraçada, parece que um divulgador da EMI chegou em uma rádio com alguns discos e quando perguntaram onde estava o da Legião, o divulgador teria dito: "sério que você quer isso?" Acho que ele foi despedido depois.

É claro que teve trabalho de divulgação. Talvez o pessoal da gravadora tenha feito aquilo que eles sabem fazer e nunca fazem, tenham colocado algum investimento para vender o disco.

O primeiro disco vendeu superbem e a banda foi para o segundo disco já com essa premissa. Como fica a cabeça e as relações numa banda diante desse destaque logo no primeiro trabalho?
Agora entramos num momento que realmente transformou nossas vidas. Não sei se entrou muito dinheiro ou não, mas lembro de ter comprado uma Brasília velha do irmão do Dado, que havia caído numa ribanceira quando fomos acampar, certa vez. Eu comprei e reformei. A gente estava muito ocupado também, fazendo shows.

Não lembro exatamente quantos anos eu tinha, mas estava acontecendo muita coisa, foi um momento difícil para mim, porque estávamos nos mudando para o Rio de Janeiro, o Dado estava com a Fernanda, o Renato foi para a Ilha do Governador e eu fui morar sozinho, na Gávea, com um amigo que veio da Europa. A vida era muito desregrada, com a rotina dos shows, de voltar de madrugada, e ainda ter que empurrar a Brasília, que só assim pegava no tranco.

Essas coisas começaram a mudar minha cabeça e eu fiquei muito mal, estava achando tudo um saco e precisava gravar esse segundo disco. Então havia uma pressão externa e interna muito forte e não tínhamos repertório – o que não nos preocupava tanto, porque estávamos prontos para entregar. Mas quando eu ouço esse disco, tenho a impressão que ele vai quebrar, porque é de uma fragilidade! O sistema de composição foi dentro do estúdio, pelo o que eu me lembro, diferente do primeiro. Os problemas técnicos do primeiro também recaíram sobre esse, além do fato de ter que compor ali, com o Renato Rocha no baixo, sendo que eu não tinha a menor identidade com ele, porque quando a Legião Urbana começou, a filosofia musical era outra. Fui obrigado a lidar com tudo isso sozinho e super inseguro. A pressão vinha muito mais de mim do que do Dado e do Renato, mas existia a pressão da gravadora, dos contratos e tudo mais. Hoje, com o disco pronto, você olha e vê que era isso, mas tem músicas ali que eu entendo de outra forma.

Quando vocês entraram em estúdio para o primeiro disco, de certa forma, o repertório já havia sido preparado na estrada. Os shows são importantes para uma banda, porque ao chegar no estúdio só com esboços, nem sempre é fácil arranjar as músicas. Além disso, você teve que mudar o seu jeito de tocar, porque quem estava compondo as linhas de baixo era o Negrete?

Foi um aprendizado, tudo interfere, é a vida, o seu momento, e você vai se moldando, se vê nesse momento tendo que melhorar e ao mesmo tempo manter o seu estilo, suas convicções, mas fazendo algumas variações. Inicialmente, tínhamos um estilo e eu acreditava muito na energia, sempre achei que a Legião precisava manter isso para conduzir o resto. Mas esse disco, como eu te falei, foi muito difícil: outro baixista, outras filosofias, a pegada do Negrete e certa evolução técnica, musical, do Dado e do Renato, que possuía sempre uma expectativa e ia dando saltos que era preciso acompanhar.

Para quem veio de uma banda pós-punk, há uma mudança de sonoridade muito grande com uma parte acústica muito substancial, camadas de violões, texturas...
Sim, e mudamos a maneira de trabalhar, de gravar uma parte primeiro e depois montar o resto, o que prova que eu também estava querendo ver outro resultado, mas, na verdade, nem o Renato, nem ninguém sabia onde ia dar.

Eu vim para cá ouvindo o disco para relembrar e deparei com "Andrea Doria", que eu me identifiquei muito, naquele momento. Mas é muito complicado, porque foi muito sofrido.

Por que vocês mudaram de produtor e foram trabalhar com o Mayrton Bahia?
Sempre fomos tão voltados para a banda, que eu não me lembro... O primeiro disco deve ter sido demais para o Zé Emilio, e ele não aguentou. Não sei se foi isso, na verdade. Eu lembro de umas conversas que tínhamos com o Mayrton e ele saía andando por Copacabana.

Ele entendia o que a banda estava querendo?
Ele ajudava a banda a andar, sem mais traumas. Acho que foi

importante para esse disco. Talvez, no primeiro, a presença dele não tivesse sido tão necessária, mas depois ajudou bastante, porque era um produtor que nos ajudava a viabilizar as coisas da maneira que queríamos e também nos levava por um caminho. Acreditávamos muito nele.

Nessa época, era comum a figura do diretor artístico, uma pessoa que, de certa forma, participava da produção artística do disco. Foi o caso da Legião Urbana, com o Jorge Davidson? Porque vocês eram absolutamente autossuficientes, sabiam o que queriam.

O Jorge Davidson nunca interferiu em nenhum aspecto artístico, pelo menos na minha parte. Talvez ele tivesse dado ideias e acho que ele tinha medo de mim. Uns tempos atrás, saiu uma entrevista em que ele dizia que a ideia de pichar a EMI teria sido minha. E eu agradeci, afinal, ele estava dizendo para os nossos fãs que eu era o líder e o Renato me seguia...

Mas o que motivou isso?

Foi um problema com a gravadora, que começou a nos atropelar e queria lançar a ideia de um projeto antes de estar pronto...

Vocês queriam que esse álbum fosse duplo.

Eu não lembro, mas ainda bem que não foi duplo, se não, eu teria morrido ao fazer esse segundo disco. Para fazer um já foi complicado! Mas no meio de todos esses problemas, é claro que íamos compondo, gravando, material nós criávamos.

As resenhas da época comparam o som da Legião Urbana nesse disco com o som de algumas bandas britânicas, como Joy Division, New Order. Você acha que tem a ver?

Ouvíamos esse som. As capas são muito parecidas, realmente, às que vinham sendo lançadas pela Factory – não me lembro de ter me envolvido no projeto gráfico desse disco. No original tem uma foto na contracapa minha e de uma amiga, que foi feita pelo Ico, irmão do Dinho, em Brumaria. Mas, olhando assim, tem tudo a ver com o Joy Division.
É que a gente era tão misturado com aquela sonoridade, não era uma coisa distante... Em Brasília, uma vez, fizemos um show num ginásio que eu produzi, quer dizer, cada um fazia uma parte, e passávamos uns vídeos do Cure, U2. Lembro do U2 lançando um disco enquanto nós estávamos no estúdio produzindo algo muito parecido, havia uma sintonia, saca? Então acho que Joy Division ou New Order eram muito próximos sim.

Isso explica um pouco o fato da melancolia ser um aspecto importante no som da Legião Urbana?

Isso tem muito a ver com o rock mesmo, fora o fato de o disco estar carregado dessa vibração, por tudo o que eu já expliquei, do momento conturbado de mudanças. O punk começou na Inglaterra naquele movimento de insatisfação econômica, política e tudo mais, que até está acontecendo de novo, e vem com um pouco de raiva, mas também com um pouco de insatisfação e melancolia. O primeiro disco talvez tenha vindo com um pouco mais de raiva, que não conseguimos passar totalmente, e nesse segundo sobrou mais para o aspecto melancólico mesmo. Tem muito a ver com algumas bandas, mas o Sex Pistols é mais raiva, raiva pura.

Queria que você comentasse as músicas que se destacaram mais.

Verdade seja dita, as letras sempre são do Renato, ele chegava com uma folha de papel e passava para a gente.

Vocês criticavam?

Cara, não tinha como. Como você vai criticar uma letra daquelas? Na minha humilde posição, eu nunca fiz uma observação sobre uma letra do Renato, ainda mais "Daniel na cova dos leões". Eu olhei aquilo, falei que eu não tinha entendido nada, mas que estava lindo. É complicado ouvir a música e trazer para o seu universo, ainda mais depois, quando começam a dizer que é uma letra gay – porque eu não sou gay –, mas o Renato não levantava essa bandeira, usava subterfúgios.

Aí vem "Quase sem querer", uma letra mais fácil de entender. "Acrilic on Canvas" é uma poesia. "Eduardo e Mônica" é uma letra que já estava pronta, uma música que eu conheci nesse formato folk e no show eu ajudava no violão, mas sempre achava que eu estava atrapalhando... "Central do Brasil" o Renato e o Dado criaram, e "Tempo Perdido" é o disco para mim, tem mais a ver comigo, é a música desse lado do disco que eu ouviria, tem uma letra linda, até fizemos um vídeo e tem uma coisa do Commissar Angels, uma banda que eu gostava, a levada da batera, a influência de pós-punk misturado com o rock progressivo das bandas de Manchester, na Inglaterra.

No lado B, acho que não gosto muito de nenhuma dessas

primeiras músicas..." "Música urbana" é linda também, vem antes de "Eduardo e Mônica", que eu acho demais, uma das melhores do Renato, e a pegada não tem nada a ver com punk. Aí tem "Índios"... Eu não consigo falar muito sobre as letras, que são do Renato, eu estava mais voltado para o lance das composições.

Essas letras exprimem bastante a visão de mundo do Renato, que era uma pessoa muito intensa e consciente dos problemas sociais e políticos que o Brasil tinha. Como era trabalhar com ele e com essa intensidade toda que ele tinha?

O Renato era tudo isso mesmo, mas era um cara totalmente democrático. Vivíamos essas angústias que estão na música, isso fazia parte da nossa vida. A Legião Urbana era uma coisa central, mais forte, que atraía eu, o Renato e Dado, tanto que as músicas têm vida própria. Eu sempre vi a banda no centro das nossas vidas, e como o Renato não está mais aqui hoje, não existe esse equilíbrio.

Mas tudo que vivíamos era traduzido em música, nas harmonias, nas melodias, por mais que a gente tente explicar, tudo é energia, existem ondas, frequências, e estamos falando de música também, que era o nosso foco, então canalizávamos tudo ali, enchíamos aquilo de informação e energia. E como você vai negar? Eu tenho o maior orgulho de ter participado e de carregar isso, tem um peso, faz parte da minha vida.

Nesse disco, de qual performance sua, você gosta?
É doido, porque até "Andrea Doria", que é a música mais frágil do disco, para mim, quando eu ouço a letra eu me identifico,

eu percebo que estou mais entre "Tempo perdido", "Índios", "Andrea Doria" e até "Música urbana", em que eu não participo, porque o silêncio também é música. Eu me vejo entre essas músicas e mais voltado para algumas faixas – "Tempo perdido" é onde estou mais perto do baterista em si –, mas faço parte da concepção de tudo, do processo de composição. Na Legião era mais ou menos assim, todo mundo entrava com sua vida no trabalho.

Como você vê o *Dois* hoje?
Há um tempo, fomos parar no estúdio, conseguiram os *takes* dessas músicas, digitalizaram e eu ouvi. O som veio com uma pegada legal, que não tem nesse disco, em 1980 e alguma coisa, quando ainda se estava naquele processo de desenvolvimento desse tipo de som nos estúdios. Mas eu fico dividido entre querer mudar todo o disco ou falar que esse trabalho é a polaroide de um momento e dá para mudarmos, mexermos no som, puxarmos a bateria, com alguns programas que acertam o bumbo e a caixa, aceleram ou atrasam uma levada, mas não sei se valeria a pena, até porque é como vida, que continuou, e as composições e o jeito de fazer música também mudaram.

Mas é um disco que certamente mudou a sua vida?
Todos eles vão mudando a minha vida, na verdade. Se a gente for falar de vendagem, esse vendeu quase 1 milhão, 800 mil discos, mas é como eu te falei, teve um impacto, depois que eu passei por esse processo de autoconhecimento. Mas a vida nunca parou, nem nunca paramos para pensar, começamos a fazer show, entrar em turnê, então sempre estávamos preo-

cupados com alguma coisa da Legião: composição, arranjo, estúdio ou palco. Eu sou resultado de tudo isso.

Na época, eu era uma minoria, baterista de uma banda de rock, é claro que existiam outras bandas, amigos e tal, não sei se o dinheiro fosse tão significativo, talvez sim, a ponto de você querer jantar com todo mundo e não poder, porque os outros caras eram todos duros. Mas é claro que mudou a minha vida, e todos esses discos mudaram, porque esse vendeu 800 mil, mas o outro vendeu 400 mil, outro 500 mil... E fomos mudando ao longo de todos os discos, lidando com a evolução tecnológica dos estúdios também. Na vida, tudo muda sempre e tentamos manter a essência, ir se adaptando e melhorando segundo o nosso ponto de vista, mas nós sempre matamos um leão por dia O

"Índios"
(Renato Russo)

Quem me dera, ao menos uma vez,
Ter de volta todo o ouro que entreguei
A quem conseguiu me convencer
Que era prova de amizade
Se alguém levasse embora até o que eu não tinha.

Quem me dera, ao menos uma vez,
Esquecer que acreditei que era por brincadeira
Que se cortava sempre um pano-de-chão
De linho nobre e pura seda.

Quem me dera, ao menos uma vez,
Explicar o que ninguém consegue entender:
Que o que aconteceu ainda está por vir
E o futuro não é mais como era antigamente.

Quem me dera, ao menos uma vez,
Provar que quem tem mais do que precisa ter
Quase sempre se convence que não tem o bastante
E fala demais, por não ter nada a dizer.

Quem me dera, ao menos uma vez,
Que o mais simples fosse visto como o mais importa
Mas nos deram espelhos
E vimos um mundo doente.

Quem me dera, ao menos uma vez,
Entender como um só Deus ao mesmo tempo é três
E esse mesmo Deus foi morto por vocês —
É só maldade então, deixar um Deus tão triste.

Eu quis o perigo e até sangrei sozinho.
Entenda — assim pude trazer você de volta para mim,
Quando descobri que é sempre só você
Que me entende do início ao fim
E é só você que tem a cura para o meu vício
De insistir nessa saudade que eu sinto
De tudo que eu ainda não vi.

Quem me dera, ao menos uma vez,
Acreditar por um instante em tudo que existe
E acreditar que o mundo é perfeito
E que todas as pessoas são felizes.

Quem me dera, ao menos uma vez,
Fazer com que o mundo saiba que seu nome
Está em tudo e mesmo assim
Ninguém lhe diz ao menos obrigado.

Mayrton Bahia

Como você conheceu a banda e o que te fez apostar nela?
O Herbert Vianna havia gravado "Química", a Ana Maria Bahiana também já tinha falado da Legião. O Jorge Davidson, que era o diretor artístico responsável pelo Os Paralamas do Sucesso, me entregou uma fita do Renato Manfredini [Russo] com algumas músicas, tinha "Faroeste caboclo", "Que país é este?", eu não lembro, mas era naquela época do bardo, sem a Legião ainda. Eu achei as letras e a maneira de cantar muito interessantes e dei o meu aval ao Jorge, que estava fazendo uma avaliação para contratar.

Foi bastante complicado, porque eles sabiam muito bem o que não queriam, eram bem atuantes em relação às questões políticas da época, vinham de Brasília, então tinham um senso crítico bem acirrado e uma estética punk. Dois produtores já haviam tentado trabalhar com eles, mas a intenção de formatar, de limpar o som, organizar e gravar da maneira que se gravava na época não deu certo. Eu era responsável pelo *cast* artístico e, um dia, cheguei cedo na gravadora e eles estavam muito alterados – o Dado já estava na recepção do estúdio com uma secretária, marcando passagem para Brasília, o Renato entrando e saindo. Perguntei o que havia acontecido e ele disse que iam embora e não queriam mais gravar, pois não tinha nada a ver a maneira como estávamos fazendo o som deles. Eles estavam revoltadíssimos, eu chamei para conversarmos e comecei a ouvi-los sobre o som, a estética e, principalmente, que eles queriam não um som de FM. A conversa durou uma tarde toda, entrou noite adentro, eu também falei sobre a indústria fonográfica, o funcionamento de uma gravadora, a relação entre o som e a verdade do artista, concepção, tecnologia; entramos em vários assuntos.

Como produtor de gravadora, você pega de tudo, eu já tinha trabalhado muito com música popular brasileira, feito discos da Elis Regina, do 14 Bis, e também pop, rock, música instrumental. Então fizemos um trato, eu garanti que faria de tudo para preservar a linguagem artística deles ao gravar, que iria supervisionar a gravação para trazer toda tecnologia e o modo de trabalhar em estúdio, mas com o som do jeito que eles queriam. Não fiz a produção, mas procurei dar um suporte ao Zé Emílio Rondeau, como uma espécie de tradutor da linguagem deles para algo em que eles se sentissem verdadeiros. Foi a partir daí que se estabeleceu a minha maneira de trabalhar com a Legião em todos os discos que fiz para eles, e foi por causa disso que conseguimos fazer tantas coisas juntos.

Você recebeu uma fita do Renato, sem os outros integrantes. O que te chamou a atenção para convocar a banda?

A maneira como ele cantava e dizia as palavras, eram frases complexas, uma métrica muito própria. O fato de, pela maneira de cantar, ele conseguir dar uma lógica, uma coerência àquilo que a princípio não soava como poesia ou letra de música chamou muito a atenção, porque ele consegue dizer as coisas de uma maneira mais crua, mais como elas são, e ainda assim ter uma forma estética de música. Isso está presente em todas as músicas da Legião, inclusive na maneira de compor.

Para conseguir trabalhar com a Legião Urbana, precisei desaprender muita coisa que eu já sabia por ter trabalhado com grandes artistas de nome e músicos de estúdio. Tive que desenvolver uma técnica para gravar, mixar e captar o som de modo a traduzir o que eles eram e muitas vezes isso era feito experimentando. O Renato sempre reclamava que o som era muito de FM, o Bonfá, que o som de bumbo parecia um coco estalando, aquele som de bumbo dos anos 1980, e o Dado tinha um trabalho super-requintado de guitarra, com desenhos, e as gravações eram feitas em camadas, então não era qualquer som que os satisfazia, não adiantava usar o que já se tinha na manga, como pedais, pois eles odiavam os clichês. Isso vinha da própria maneira de compor a música e a letra, de cantar.

Parece que você conseguiu transpor todas as questões técnicas para um modo e um discurso que eles aceitaram. O que você disse para eles não irem embora?
Esse foi o pacto. Falei que tentaria colocar à disposição deles tudo o que eu sabia e o que os grandes técnicos da gravadora sabiam, mas partindo daquilo que eles eram e não daquilo que nós queríamos que eles fossem, por isso eles resolveram ficar.

Alguém no Brasil estava fazendo coisas desse tipo na época?
Da forma que eles faziam, eu não tinha visto, nem ouvido. Em gravadora recebemos muitas fitas, sempre tive o hábito de ouvir e encontrava alguns sons com o formato punk, mais imediato, mais urgente, porém sem a elaboração estética na letra e o conceito de trabalhar o som de maneira mais suja, como acontecia na Legião. Para mim foi uma novidade pegar essa sujeira do punk, mas, ao mesmo tempo, com uma estética, e tentar aprender com eles como seria essa linguagem ao gravar. Algo que me ajudou muito foi ter observado o *Clube da Esquina*, pois era muito semelhante à maneira de trabalhar naquela época, com o Beto Guedes, o Milton Nascimento, já que na Odeon eles gravaram o primeiro *Clube da Esquina* em dois canais, em estéreo, direto, passando de uma fita para a outra, como se fossem os Beatles. Quando a Odeon saiu do centro da cidade e foi para a [rua] Mena Barreto, eu tive a oportunidade e o privilégio de trabalhar com técnicos que eram da escola dos dois canais. Para eles, era uma novidade gravar em multipista, 16 canais, cada instrumento num canal, fazer por partes, e nem os técnicos, nem os produtores conheciam essa linguagem. O som desses artistas, principalmente do Clube da Esquina, gravado em multitrack era muito misturado, eles iam acrescentando sons, instrumentos, ideias. Eu ouvi "Maria, Maria" no corredor da gravadora e entrei no estúdio para ver a mixagem, com o Mariozinho Rocha, depois fui guardar a fita e comecei a mexer e achei que aquilo fosse uma demo, um ensaio, porque não reconhecia naqueles 16 canais, cheios de ideias, a música que estava tocando no rádio. No dia seguinte,

eu perguntei ao Nivaldo Duarte, um grande técnico, que havia gravado o *Clube da Esquina 1* em dois canais, se aquilo era uma demo e ele disse que não, que era a música que havia ido para a rádio, e foi aí que eu comecei a entender a arte de pegar diversos sons, fragmentos, ideias e transformar aquilo num produto final. Isso era possível porque os técnicos antigos da EMI vinham dessa escola dos dois canais, de ouvir o produto como um todo, então isso foi muito importante para trabalhar com a Legião.

Sempre fizemos colagens, ideias simultâneas, um detalhe de violão, uma pérola de uma linha de guitarra, vozes coladas. O disco *Dois* tem essas camadas, é mais elaborado, tem texturas sonoras, ambiências, e se diferencia muito do primeiro, que é mais urgente, mais sujo, para o lado do punk.

Eu consegui me encontrar com a Legião quando comecei a trabalhar com eles como se fosse pintura e cinema, não necessariamente música de estúdio, porque a maneira de compor deles era muito peculiar.

A sonoridade do *Dois* é bastante diferente em relação ao primeiro disco. Eles já chegaram com esse requinte, essa linha melódica e as diferenças?

Não, chegaram para o *Dois* da mesma maneira que para o primeiro, mas a diferença é que o segundo disco foi feito em estúdio, as composições surgiram ali. É claro que já havia alguma coisa pronta, como "Andrea Doria", que até hoje o Bonfá prefere na versão anterior, mas a sonoridade surgiu no estúdio, o disco foi construído num trabalho de equipe, ao longo das gravações.

Hoje eu estava escutando e também já havia feito um trabalho para MTV de abrir os canais, analisar os *tapes*, e fiquei supreso, porque parecia simples usar os 16 canais, mas na verdade era extremamente complexo. As ideias vinham do mesmo jeito que a banda trazia, alguma coisa no violão, às vezes. O interessante da Legião é que eles nunca diferenciavam as etapas normais de produção do disco, ou seja, trazer pronta a música, a melodia, a harmonia e a letra, gravar, depois botar a voz e mixar. Não funcionava assim, muitas vezes eles chegavam com a música ou com ideias, fragmentos, não havia uma diferença muito clara entre o que era composição e o que era arranjo; se você alterasse um instrumento, a harmonia ou mexesse num detalhe, para eles não soava como arranjo, mas como uma mudança na música. Diante disso, era muito difícil pegar a música e dar um colorido, tudo era composição e, normalmente, esse processo de composição ia até o final do disco, nós já estávamos mixando e eles ainda estavam na composição.

Esse era um conceito muito forte na Legião, que a diferenciava e a diferencia até hoje de muitos artistas. Eu só vi isso de o arranjo estar ligado à composição e tudo ser muito semelhante com o Clube da Esquina, e o Beto Guedes.

Basicamente, foi quase tudo feito em estúdio, um *work in progress*. Qual foi a intervenção da sua produção e da direção artística do Jorge Davidson? Quem assumiu mais essa brincadeira com os elementos sonoros?

No *Dois* o meu envolvimento foi total, como produtor. Embora já tivessem algumas músicas, o disco foi acontecendo dentro do estúdio e por isso deu um trabalho tão grande. Se você ouvir "Acrilic on canvas", tem diversas texturas sonoras que se misturam, ora parece arranjo, composição ou gravação mesmo. Os grupos que fazem cover da Legião têm uma dificuldade enorme de cantar a letra toda, porque não tem espaço para respirar: ele cantava um pedaço e depois eu emendava outro, num novo canal, com a voz por baixo, então a respiração de uma frase termina quando a outra já está começando. "Acrilic on canvas" tem várias camadas se sobrepondo, isso é um trabalho de estúdio, o baixo é eletrônico, que o Renato Rocha gravou no teclado, o que era uma novidade para a banda, mas, ao mesmo tempo, tem outro tipo de baixo, com ecos, efeitos, porque eu abri todos os efeitos no estúdio e ele adorou, começou a se divertir, a brincar e a tirar sons, então toda textura da música, o clima, vem muito do efeito de baixo, algumas coisas de corda presa, com eco.

Dois é um disco que soa mais definido, até pela presença dos recursos de estúdio, mas com um cuidado muito grande para que isso e a tecnologia não ultrapassasse a urgência, a maneira de dizer os temas, que caracterizava a banda. A linha era muito tênue, porque o som sujo pode ser estético, como uma forma de expressão, ou pode soar como incompetência. Sempre vi os discos da Legião Urbana como um quadro de Van Gogh, em que você olha de perto e várias coisas são borradas, as cores não são reais, mas o que importa ali não é retratar a natureza com perfeição, mas o sentimento transmitido. E a emoção é suja, quando você está emocionado, falando com alguém que você gosta, sua voz embarga, fica rouca, você gagueja. Então eu procurava ter a visão como um todo, o disco

Dois é cheio de camadas, de texturas sonoras, em "Fábrica", por exemplo, tem uns trabalhos de teclado, uns riffs misturados, mas no meio do som cru, é um riff bem anos 1980, do pop, mas está ali muito bem misturado com a linguagem da Legião Urbana. Eu procurava aproveitar também os erros e falhas, porque como eu disse, o processo de composição ia até a mixagem. Em "Índios", o Renato gravou uma base com o teclado e depois foi tentar fazer a letra – era muito comum trabalhar assim, eles dividiam em música lenta, média e rápida, e o Renato fazia a letra em cima de uma base sem ter a melodia criada, sem métrica definida. Na tentativa de cantar "Índios", ele foi lendo, lendo, parecia um rap no começo, até que surgiu uma ideia de melodia, aí ele mudava uma frase para melhorar a métrica da frase, mudava a melodia para encaixar outra frase. Essa era a maneira da Legião compor, completamente diferente de tudo, apesar de alguns artistas já terem feito algumas coisas assim, como os Beatles.

Como os músicos tinham gravado sem letra e melodia, os instrumentos foram parando em momentos aleatórios, e quando colocamos a letra, percebemos que ela tinha ficado maior do que a base gravada. Então eu dei a ideia de fazer um dedilhado no violão para quando terminasse a base, os instrumentos iam sumindo, tinha um efeito de vento também, e ficou lindo. Esse tipo de solução em cima das ideias era muito comum de acontecer com a Legião, mas dava um trabalho danado.

Quanto tempo durou a gravação?
Não sei, estava tentando lembrar, talvez olhando minhas

anotações e a data de saída do disco eu conseguia saber. Mas o Jorge Davidson deve lembrar, pois como diretor artístico ele estava muito comprometido com a entrega, o lançamento.

Como produtor eu não ficava necessariamente na mesa de som, e é importante também ressaltar o trabalho do Amaro Moço, que foi o técnico do disco. Ele era um lorde, tinha uma paciência, uma tranquilidade, e se envolveu muito com o trabalho, a mixagem de boa parte das músicas eu fiz com ele e ele teve o cuidado de fazer um trabalho muito delicado. O Renato fez a mixagem de "Daniel na cova dos leões", teve outras músicas que eles se envolveram tecnicamente, pois sempre participavam de tudo, mas o Amaro foi fundamental.

Você acha que o *Dois* acrescentou algumas características que foram levadas adiante na trajetória da Legião Urbana?

Com certeza, e também criou uma grande dificuldade para o terceiro disco, porque foi um disco árduo, de muito envolvimento no estúdio, mas muito bom de ter sido feito. Ele estourou, veio o sucesso, os shows, até que chegou a hora de fazer o próximo e havia um fantasma gigantesco do segundo disco, não só pela boa vendagem, mas pelo processo como um todo, que já estava incorporado pela própria banda.

Depois do *Dois*, a previsão do Renato de que eles teriam um trabalho enorme para fazer outro disco em estúdio era real. Para fazer outro disco à altura, o trabalho teria que ser maior, e com o sucesso, a agenda, os shows e as entrevistas, não houve tempo de fazer música nova, de preparar mais coisas, então veio a grande ideia de pegar músicas antigas, "Faroeste caboclo", "Que país é este?", e o terceiro foi o disco mais rápido da Legião, que eu adoro também. A única música nova que briguei com o Renato para entrar foi "Angra dos Reis", porque ele não queria colocar letra. A Legião só veio ter um disco de estúdio realmente, com esse trabalhão todo, que durou um ano, em *Quatro Estações*.

Nessa perspectiva, quais faixas deram mais trabalho?

"Acrilic on canvas", "Fábrica", "Índios", na verdade, o *Dois* deu muito trabalho, mas não tanto quanto os posteriores.... Em "Tempo perdido", se prestar atenção, vai perceber que a voz do Renato está no centro e existem umas pequenas sobras de eco dos lados. Colocar um efeito na voz do Renato era uma dificuldade, ele queria a voz seca, mas a voz criava um ambiente, a gente colocava um pouco de *reverb*, eram pequenas filigranas.

Nos discos da Legião, parece que não tem efeito nenhum, porque você tinha que colocar milimetricamente, de uma forma que não parecesse. Em "Fábrica", a voz tem um *flanger*, muito discreto, mas dentro do contexto. O *Dois* é cheio de efeitos, como o baixo eletrônico em "Acrilic on canvas", como esses teclados em "Fábrica", mas passa despercebido. É algo bem conectado com o som punk, com a estética da Legião, mas é um disco cheio de desenhos.

Dá para perceber, se você colocar um fone em "Música urbana 2", o tipo de efeito que colocávamos na voz do Renato, bem discreto, que dá mais espaço sonoro, parece que está ali com o violão. Eu procurava usar os efeitos na voz do Renato só para dar dimensão, para colocar ele dentro de um espaço físico, e não pra criar um efeito na voz, mas para criar um som tridimensional, uma perspectiva sonora em que dá para sentir o posicionamento dos instrumentos.

Não se tratava de criar um efeito para roubar a cena, uma fumaça de palco, pois qualquer coisa que você colocasse e fosse muito característico da época, eles já falavam que estava com muita cara de FM.

O que eles tiveram mais resistência para colocar no disco? Tem alguma faixa em particular que você tenha brigado para entrar ou sair, já que foi um processo coletivo de criação?

Em relação aos efeitos, eu fui bem insistente em várias situações. Em "Acrilic on canvas", o Renato havia testado dar uns gritos, quando estava colocando a voz, mas ele achou horroroso, histérico e pediu para eu tirar, mas eu expliquei que a música estava cheia de dimensões, texturas, e da mesma forma que colocamos um eco, o baixo, podíamos pegar os gritos e colocar no fundo, com um efeito de *reverb*, para dar um clima tremendo na música, e não seria explícito, mas como se fosse algo que passasse dentro da cabeça de quem estivesse escutando.

Ele achou que não fosse dar certo, mas eu fiz sem ele saber, coloquei os gritos no fundo, em vários canais, selecionei pedaços do grito, entrando de um lado e do outro, fiz as camadas, coloquei o *reverb*, montei, mostrei para ele e ele adorou. Foi uma batalha que eu não me arrependo, dá uma dramaticidade muito legal na música, e está ligada aos efeitos dos baixos, tem todo um clima.

Em relação à música, "Índios" foi uma batalha para que ficasse no disco. Quando o Renato fez a letra, ainda sem melodia, na primeira tentativa de dizer o texto ele achou que não funcionaria, que seria impossível cantar aquilo. Mas eu tinha o hábito de sempre gravar os testes com a Legião, pois essas experiências podiam render algum fragmento para ser usado depois. Hoje em dia é mole, né? Basta samplear, mas naquela época era complicado guardar as ideias, eram 16 canais e o comum era eu ter no mesmo canal várias ideias, instrumentos, o que dava um trabalho louco na mixagem, já que não existia computador ou automação, era tudo na mão, com fita crepe, tentando juntar os canais.

No caso de "Índios", devia ter umas 15 tentativas gravadas, depois de fazer muitas ele desistiu, mas eu pedi calma e fomos ouvir as gravações. A primeira era quase um rap, mas já na segunda, alguns momentos tinham ficado maravilhosos. Como ele havia feito várias, já tinha perdido a referência, mas pegamos uma ideia de melodia de um pedaço e começamos a trabalhar, fomos montando, montando e dali surgiu a música. Foi uma batalha, porque ele já estava abandonando essa música. Por isso eu digo que não existia um processo com a Legião, quanto você estava mixando, a música estava acontecendo ainda, uma etapa era totalmente imbricada na outra.

Você tem uma canção favorita no disco? Por quê?

"Tempo perdido", "Índios" e "Música urbana 2" são as principais. A primeira, acho um hino, é a cara da Legião, fala da época e do contexto todo, da juventude. "Índios" é mais pelo envolvimento pessoal, pela maneira que ela foi construída, mas também pela letra. E "Música urbana 2" é aquela coisa do bardo, que sempre caracterizou o Renato, a voz e o violão, a letra muito forte.

Uma contribuição que eu trouxe à Legião, destacada por eles mesmos, pelo Renato, foi a questão da dinâmica. O primeiro disco é um tijolão. Para o *Dois*, consegui trazer minha escola de estúdio, de produção de MPB, com gritos e delicadeza, contraste de sons fortes e suaves, uma quantidade de informação e também de vazios. No *Dois* tem muito disso, saber a hora de gritar e de sussurrar, um grito ao fundo, em eco, como se fosse a voz inconsciente, em outro plano, o sussurro mais alto do que a voz principal. São planos de voz, como se fossem camadas psicológicas.

A dinâmica em "Música Urbana 2", em relação à letra, é muito forte, o Renato está quase murmurando e depois está berrando – isso numa época em que todo mundo está querendo colocar o compressor nas músicas, com os leds vermelhos parecendo que vão pular da mesa de som, como fogos de artifício. Esse contraste da delicadeza, da dinâmica, é fundamental e está se perdendo, além disso, todo mundo ouve MP3 com fone de ouvido e, com esse limite, as pessoas vão ficar surdas.

Às vezes, a letra ou o verso pode nem ser muito brilhante, mas com determinada delicadeza ou contrastando com outro momento da frase, torna-se algo genial – não é só na letra que está a genialidade, nem na melodia, ela está em vários outros elementos de concepção, produção, e foi isso que eu aprendi e desenvolvi trabalhando com a Legião.

Você está falando de uma perspectiva pictórica e narrativa, fica muito claro que esse era um ponto de contato com o Renato, porque a composição dele está muito ligada à narrativa, e a sua percepção das produções da banda é de montar uma narrativa, de criar climas. Você foi forçado a desenvolver isso diante do Renato Russo ou já era algo seu e vocês só caminharam juntos?

Pensar a produção com um olhar cinematográfico, pictórico, veio claramente do Clube da Esquina. Se eu não tivesse visto o Nivaldo Duarte, um grande técnico, que trabalhava em dois canais, com o Clube da Esquina, talvez não pudesse trabalhar com a Legião, porque tive que abandonar um monte de coisas que sabia, fora o fato de ter colagens, muitas informações e ideias num mesmo canal. Como o Clube da Esquina também era da EMI/Odeon, pude pegar fita, abrir, ver os canais. Cheguei a produzir discos do Beto Guedes também, trabalhar com ele, como técnico.

Com a Legião o processo foi uma descoberta conjunta, porque eles eram muito exigentes, não aceitavam qualquer solução. Isso era uma coisa legal, eles sempre tiveram um senso crítico muito forte e existia uma ética. Às vezes o pau quebrava, mas as coisas vinham à tona e elas eram discutidas e enfrentadas, então tinha uma transparência, uma ética que era transmitida no som. Nosso pacto, lá do início do trabalho na gravadora, tem a ver com isso também.

No disco *Dois*, a gravadora respeitou, deu liberdade. A única pressão muito grande que existia era pelo primeiro disco ter ido muito bem (embora tenha vendido 70 mil). Era o peso do segundo disco, de se posicionar, se provar como artista, e vendeu 700 mil, depois puxou a venda do primeiro também. Todos os discos da Legião Urbana passaram de 1 milhão.

Tudo foi baseado na confiança mútua que se estabeleceu desde o primeiro disco. Você disse que aprendeu muito com eles e, certamente, eles também aprenderam com você. Como era o relacionamento com a banda? Alguém era mais resistente às novidades que você sugeria?

Era difícil tentar usar na produção, no estúdio, qualquer coisa perto de um clichê de música pop, eles sabiam muito bem o que não queriam, então realmente tínhamos que inventar, trabalhar juntos. Não dava para trabalhar com a Legião mais ou menos, você tinha que estar ali por inteiro, se entregar.

No *Dois*, é fantástico o trabalho de guitarra, tem diversas camadas, texturas, acho que foi todo gravado com guitarra Fender, com chorus, mas os chorus soam muito bem integrados aos riffs, então não era uma coisa gratuita. "Plantas embaixo do aquário" tem um efeito de bateria, *gate reverb*, e foi toda uma discussão com o Bonfá, pois era muito usado na época, era perto do clichê. Num determinado momento, a música para e ele faz pequenas viradas de bateria, e colocamos o *reverb* ao contrário, para as viradas soarem reversas, mas os tempos desse delay foram milimetricamente calculados para encaixar no andamento da música, então tudo tem uma função melódica, musical, não foi colocado meramente para ter um efeito especial, mas para enriquecer a estética da música. Precisava ter muito cuidado para fazer uma coisa dessas, eles não aceitavam nenhum tipo de efeito clichê.

A que você atribui o alcance que a banda teve, o fato de eles terem chegado a camadas tão diversas da sociedade, mesmo diante de letras tão complexas, de questões tão espinhosas, que não eram tratadas no rock brasileiro?

Com toda certeza, foi por mostrar o que eles eram, da forma mais plena possível – eles tocavam e cantavam o que acreditavam. Muita gente fala que a música da Legião era muito simples, mas vai fazer algo assim! Na verdade, é extremamente complexo e eles tocavam o que era necessário para dizer o que queriam, não precisavam tocar mais nem menos, não precisavam ser virtuoses, eles eram virtuoses por conseguir ser verdadeiros com os recursos que tinham. O tempo todo mostravam o que eram: no palco, nas letras, na forma de tocar. E é o que eu falo também, a emoção é suja, a verdade não é impostada.

Por eles sempre cantarem letras que acreditavam e procurarem ser eles mesmos, nasceu uma estética, uma linguagem que era da Legião Urbana, expressionista, em que o mais importante era mostrar o que eles sentiam. Esse é o grande diferencial da banda, que eu sinto muita falta nos dias de hoje – estamos vivendo a era do copy/paste, do karaokê, do cover, falta coragem para se mostrar simplesmente da forma que se é, e isso não é simples, tem uma complexidade que às vezes é dificílima de colocar num quadro, num filme ou num disco.

Como a estética da Legião conseguiu perdurar em álbuns tão diferentes?

Os álbuns são diferentes, mas a linguagem da Legião Urbana está em todos. No próprio Descobrimento do Brasil, que é um disco bem brasileiro (por isso o título, que alguns críticos não entenderam), mas bem punk, a sujeira está lá, em "Perfeição". A ética da Legião é o que une todos os discos em épocas diferentes. Também é importante dizer que todos tinham a mesma importância na banda, o Renato não fazia quase nada sem ouvir o Dado e o Bonfá, os dois tinham uma voz ativa, é claro que havia disputas por ideias, o que é normal, mas o Dado e o Bonfá atuavam intensamente dentro da banda ○

LEGIÃO UR

DOIS

℗1986 Lado 2
EMI - ODEON - Brasil

1 - **Metrópole** BR-EMI-86-00041 - **2:50**
(Renato Russo) Tapajós (EMI)
2 - **Plantas Embaixo do Aquário** BR-EMI-86-000
(Renato Russo • Marcelo Bonfá • Dado Villa-Lobos •
3 - **Música Urbana 2** BR-EMI-86-00043 - **2:42**
(Renato Russo) Tapajós (EMI)
4 - **Andrea Doria** BR-EMI-86-00044 - **4:58**
(Renato Russo • Marcelo Bonfá • Dado Villa-L
5 - **Fábrica** BR-EMI-86-00045 - **4:56**
(Renato Russo) Tapajós (EMI)
6 - **Índios** BR-EMI-86-00026 - **4:23**
(Renato Russo) Tapajós (EMI)

EMI

NA

457986 1

a) Tapajós (EMI)

(EMI)

© Charles Gavin, Canal Brasil; © Desta edição, Ímã Editorial

Direção geral Charles Gavin
Coordenação Luis Marcelo Mendes
Edição Julio Silveira
Projeto gráfico Tecnopop
Revisão Priscilla Morandi e Jackson Jacques

Agradecimentos especiais a
Paulo Mendonça • André Saddy • Carlinhos Wanderley
Catia Mattos • Canal Brasil • Darcy Burger • André Braga
Bravo Produções • Gabriela Gastal • Gabriela Figueiredo
Samba Filmes • Zunga • Yanê Montenegro
Oi • Secretaria de Cultura Governo do Rio de Janeiro

G677   Dois (1986) : Legião Urbana : entrevistas a Charles
Gavin / Entrevistas de Dado Villa-Lobos, Marcelo
Bonfá e Mayrton Bahia. — Rio de Janeiro : Ímã | Livros
de Criação, 2016.
88 p. : il. ; 21 cm. — (O som do vinil).

ISBN   978-85-61012-61-8

1. Música popular — Brasil — História. 2. Músicos —
Entrevista. I. Villa-Lobos, Dado [Eduardo Dutra], 1965 -. II.
Bonfá, Marcelo, 1965- III. Bahia, Mayrton, 1956-. IV. Gavin,
Charles, 1950-. V. Título. VI. Série.

CDD 782.421640981
CDU 784.4(81)

O projeto empregou as tipologias FreightText e FreightSans.

ímã

Ímã Editorial | Livros de Criação
www.imaeditorial.com